11,45

Une nuit à Saint-Germain des Prés

Jean Cau

Une nuit à Saint-Germain des Prés

roman

JULLIARD
8, rue Garancière
PARIS-6e

© Julliard, 1977
ISBN 2.260.00070.3

Cette nuit au cours de laquelle j'ai écrit ce livre,

cette nuit au cours de laquelle j'ai été une ombre attachée aux pas d'un vieil homme,

cette nuit a été trop grave pour que le récit de ma chasse ne soit pas d'une vérité totalement imaginaire.

Je ne connais pas cet homme. Je ne connais pas cette proie qui n'a été qu'une autre ombre, devant moi.

Mais, à elle seule, elle était tous les fantômes.

Que celui qui voudrait mettre une clef dans cette serrure sache bien qu'aucune porte ne s'ouvrira.

Mais si — par miracle — elle s'ouvrait, c'est moi, c'est moi seul que l'on découvrirait, errant au milieu d'une immense pièce déserte.

Ce roman pourrait commencer ainsi : *J'ai vu un vieil homme qui chasse l'adolescent dans Paris.* Sous les sucres d'orge des néons qui brillent mat, sous leur lumière malade qui donne des envies de mépris et de suicide et qui exile à jamais le promeneur nocturne de l'innocence, j'ai soudain aperçu le vieil homme dont les cheveux blancs flottaient comme une mousse ou un impudent panache. La lumière et la nuit creusaient les défroques orientales de garçons aux cheveux longs et s'y glissaient en rayons d'encre et de lumière. Visages verts couverts d'algues, de fatigue ennuyée et d'une tristesse d'errance. Visages bleus comme la peau d'un homme emporté par une peste d'Afrique. Blancs comme une vieille cire. Sous les coups de pinceau calme des néons, des garçons et des filles. Celles-ci fardées, les mêmes faux cils collés sur des paupières de porcelaine et les mêmes faux yeux qui jamais n'interrogeront un visage ou ne plongeront dans un autre regard. Faux yeux, fenêtres d'une pauvre fausse âme, d'où coulent parfois des pleurs de poupée. La chair blanchie par les veilles ne connaît pas le vent, le soleil et le jour. Elle est molle comme celle des bœufs japonais que l'on pique avec des seringues pleines de bière. Elle fond sous les doigts et les lèvres et n'a pas de goût. Comment un cri de plaisir pourrait-il jaillir, sauvage, de ces statues de farine ?

Sur les trottoirs, à une heure du matin, des dizaines et des centaines de Christ dont les semelles raclent le ciment et l'asphalte. Cette saison, les filles étaient montées sur des socques et les Christ et les Apôtres rôdaient au milieu des courtisanes de Rome. Parfois Jésus chevauchait une moto japonaise et Marie-Madeleine se collait à lui et étreignait son torse de cuir. Mais le Seigneur prêchait des pétarades. Saint Jean secouait à petits coups précis un appareil à sous et s'efforçait de loger une bille d'acier dans un trou afin que s'éclairât la jupe rose d'une patineuse américaine. Saint Paul contemplait un juke-box. Saint Matthieu se dirigeait vers Montparnasse où il savait qu'un Arabe lui vendrait du haschich.

Sur la place, l'église Saint-Germain-des-Prés, avec son joli clocher et sa petite croix mystérieusement blanche, abritait la dépouille de l'abbé Casimir qui fut roi de Pologne. L'église était noire et, devant son parvis désert, stationnait un car de police où des CRS endormis rêvaient de la retraite qu'ils prendraient en leur Auvergne ou en leur Languedoc.

J'ai aperçu le vieil écrivain aux cheveux blancs et au port de tête orgueilleux. Il chassait. Il marchait sur le trottoir. Des adolescents y montent une garde alanguie. Les yeux trop grands, la cigarette tenue à deux doigts, le regard doux qui enveloppe le passant de velours, la pose déhanchée et fesses et sexe écrasés dans l'étroit pantalon, ils attendent et parfois se donnent un furtif coup de peigne affolé comme si une brise avait dérangé une mèche savamment désordonnée devant le miroir. Le vieil écrivain a écrit des romans de grand style et des poèmes d'amour en l'honneur d'une femme qui est morte. Pendant des lustres, il a célébré harmonieusement cette Dame auprès de laquelle il a vécu et qui le tyrannisait. Ai-je jamais cru en la sincérité de cet amour pour la Dame ?

C'était, me disais-je, beaucoup de rimes et de littérature pour si piètre objet. C'était beaucoup de mots se bousculant en une sorte de panurgisme lyrique pour si méchant prétexte. Mais il arrivait que l'obstination du rossignol à chanter me fît croire, en cette noire nuit, à la présence de l'aurore. Il disait aux quatre vents son amour et qu'ils seraient mortels, son désespoir et sa désespérance, si la Dame un jour lui était ravie.

Or, moi qui ai de ces naïvetés, je pensais, à travers des spasmes de doute, qu'il n'était tout de même pas possible de mentir à ce point-là et que cet homme de lettres devait aimer cette femme. J'aurais dû me répéter avec force ce que je sais depuis toujours, savoir qu'il est des écrivains dont le sang a la couleur de l'encre et le cœur fait du même papier qu'ils noircissent.

La Dame mourut. Qu'allait faire Tristan ? Il vécut.

Et je ne suis vraiment pas si fou et je sais ce que valent certaines sincérités littéraires. Au long des années, mon oreille est devenue fine et méfiante dans cette forêt et cette foire. De la prose ou du poème, de l'article ou de l'essai, je connais les mots mais aussi l'haleine de celui qui les souffle. Derrière le nombre et la cadence, derrière musiques et balancements, je devine la vraie chanson. Sous les fards du style, je reconnais le visage raviné d'usure de telle prose prostituée et, l'œil froid, je lis les mille rides formées, sous la croûte, par tant de sourires courtisans distribués alentour en d'incessantes et viles retapes. Elle s'est envolée la naïveté de mes vingt ans qui dévorait les livres et en croyait l'écriveur *sur Parole !* Fini, tout ça. A force de fréquenter les prostituées qui composent ma race, il suffit d'un rien — d'un déhanchement, d'un regard surpris, d'un grasseyement mal rattrapé, d'un bijou trop gros sur la main trop courte — pour que je m'alerte et sache qu'elle n'est rien qu'une pute, l'honorable hôtesse au port de reine dont la vertu d'apparat éclaterait de théâtrale indignation si je lui disais, devant l'assemblée, qu'en elle j'ai reconnu la professionnelle. Comment ? Par quelle sorcellerie ? Mon Dieu, madame, je suis trop souvent monté avec vos pareilles, et peut-être même avec vous, avant que vous ne deveniez marquise. Oui, fini tout ça. Quelle prose n'est point « politicienne » ? Quelles phrases ne sont point jetées du haut d'une estrade ou de tréteaux ? Entre tant de milliards de mots soulevés en poussière hors de milliers de livres, lequel recueillir — minuscule silex — entre pouce et index et qui serait vrai ? Sèche tes pleurs, imbécile, et apprends enfin que ce n'est pas la vérité qui importe mais la beauté des plis dont l'artifice drape le mensonge. L'ordre vrai du style donné à des mots tous menteurs.

Mais il y a des désespoirs étranges. Celui-là, par exemple, d'un artiste qui se meurt parce qu'est mort l'objet de sa comédie. Il peut s'agir d'une femme. Ou d'une guerre dont il fut le témoin bavard et que l'oubli efface dans les mémoires. Il peut s'agir d'une jeunesse ou d'une enfance. Et de n'importe quoi.

Pourtant, après la mort d'Iseult, je m'étonnai de la survie de l'harmonieux Tristan.

Je l'ai vu qui chassait l'adolescent nonchalant à Saint-Germain-des-Prés. Il allait, rose, blanc et bleu, sous les regards des éphèbes qui l'accompagnaient comme de lents battements de palme. M'a-t-il aperçu et a-t-il compris que je le reconnaissais ? Il a hésité. Il a collé le nez à des vitrines, partagé entre son désir de ramener dans son antre de la chair fraîche et la délicieuse terreur d'être reconnu. Aimanté, j'ai traversé le boulevard.

Je guettais toujours.

J'observais le vieil animal couvert d'ans et de gloire. Derrière lui, une traînée phosphorescente de romans, d'essais, de poèmes, de pièces de théâtre, d'articles de journaux. Le bruissement formidable d'une œuvre et la Renommée partout annonçant son entrée à grands éclats de trompettes. Grand, glorieux, beau — et terrible aussi pour s'être jeté aux extrêmes d'une politique inspirant crainte et respect. Or le voici, ce vieillard, haletant après un « tapin » auquel il donnera deux cents francs si la jeune folle se prête à ses caresses ; si elle accepte de laisser courir ses vieilles mains tavelées sur son ventre et ses cuisses ; si elle regarde le plafond pendant que des lèvres sèches de désir...

Il regardait autour de lui. Où étais-je passé ? A pas lents, il se dirigea vers la rue du Bac.

Son appartement (je ne sais pas où il habite), je l'imagine tapissé de beaux livres, de dessins et de toiles de maîtres modernes. Je vois des bronzes et des objets nègres sur des tables et des étagères.

Il est entré et a craché, comme il le fait chaque soir, sur une grande photo encadrée de la Dame morte. Ensuite, il s'est couché avec son Démon.

Demain, il se réveillera au milieu de son lit doré, dans un chaos de draps roses. Un valet fera couler un bain à la température exacte et répandra les sels parfumés dans l'eau qui prendra une teinte de Méditerranée.

L'illustre vieillard ôte sa robe de chambre et se glisse dans la douceur du bain. Une forêt de poils blancs se désole sur sa poitrine à la peau si blanche. C'est cela, la vieillesse, cette blancheur du corps et des poils qui ne sait plus les anciens soleils. Il était temps qu'elle meure, la Muse ; le Démon s'impatientait. Que pense le valet, au service de l'écrivain depuis vingt ans ? Oh, un domestique bien payé ne pense pas. D'ailleurs, si souvent, que de querelles il a entendues du vivant de Madame. Elle glapissait des injures et des sarcasmes d'une cruauté inouïe et Monsieur se taisait et allait s'enfermer dans la salle de bains. « Ouvre ! criait-elle. Je sais que tu es là ! Je sais que tu es en train de te regarder dans la glace ! » Suivaient des chapelets d'injures de harengère.

Au sortir du bain, il enfilera une chemise aux poignets de dentelle et un costume à la dernière mode. A midi, deux jeunes gens viendront lui raconter les potins les plus « affreux » du Tout-Paris puis le trio ira déjeuner dans un grand restaurant.

Pourquoi *mentir* une vie comme l'a fait, durant des lustres, cet homme ? Vous me direz que c'était un écrivain et donc un pitre. Oui, mais des jeunes gens « au cœur pur et généreux » ont cru à la sincérité de cette voix qui, au crépuscule d'une vie d'imposteur, jacasse des potins en buvant du champagne.

Et je me disais, l'autre soir, lorsque j'épiais ce fantôme sur le boulevard : « Peut-être... oui peut-être est-ce en cet instant que cet homme est grand. Que de malheur, en cette quête ! Que de solitude ! Le voici enfin, tel que sa folie le change, prêt à échanger sa gloire et sa réputation contre une caresse de gigolo... » Alors je l'ai imaginé ouvrant la porte de son appartement, très las, et il s'arrête devant un miroir et contemple ce vieil homme. Il se demande : « Qui suis-je ? » et hausse les épaules. Il regarde ses livres rangés en bataillons sur les étagères, il ouvre un recueil de poèmes où il chantait la

Dame. Il a un sourire usé et jette le livre sur un divan. « Oui, j'ai menti. Que faire d'autre ? » Autour de lui, dans le salon, les objets ne prononçaient aucun reproche ; les murs ne se rapprochaient pas comme ceux d'une boîte aux cloisons mobiles qui bientôt l'eussent écrasé ; et la nuit se complaisait en une indulgence infinie.

Sans doute n'est-il pas de plus grand bonheur que la coïncidence, dans une vie, des actes et des paroles. Le vieil écrivain donne un coup de pied dans l'immense fourmilière de phrases qu'il a mis plus d'un demi-siècle à construire ; un nuage de poussière monte et l'étouffe. Rageur, il donne encore d'autres coups de pied. Il tousse. Des milliards de fourmis grouillent et s'enfuient sur leurs minuscules pattes de verre noir ; elles ont, en hallucination, la forme des lettres de l'alphabet. Il les écrase sous son talon. Il donne des coups de pied de plus en plus hystériques. Il rit et pleure. Les fourmis se répandent dans l'appartement, grimpent aux rideaux, s'écoulent en torrent frissonnant sur les meubles, la moquette, enrobent les bronzes d'une épaisse couche de patine finement grêlée et vibrante, s'agglutinent au portrait de la Morte dont elles dévorent la bouche, puis la joue droite, puis le front, puis les yeux. Il s'est emparé d'un coussin de cuir et, à toute volée, donne de grandes tapes sur les envahisseurs.

Les fourmis grimpent entre jambe et pantalon, se coulent sous la chemise. Il se secoue. Des myriades de piqûres de feu commencent à l'embraser. Il crie et ses yeux se révulsent. Il hurle. Enfin, il murmure : « Arrêtez ! Ne me dévorez pas ! Vous n'êtes pas vraies ! Je suis un clown qui vous a inventées ! Je suis une tendre folle et je l'avoue ! » Aussitôt, les fourmis disparurent. Le film se mit à tourner à l'envers et elles réintégrèrent, aspirées, les pages des livres où elles s'alignèrent impeccablement, comme à l'ordinaire.

Il s'assied. Il halète et transpire. Il essuie son front d'une main qui tremble. Peu à peu, sa respiration se calme ; les mains, qui étreignaient les accoudoirs du fauteuil comme des serres, deviennent flasques ; il se lève et marche vers le haut miroir qui domine une console 1925. Jambes écartées, les poings enfoncés dans les poches de son imperméable blanc, il regarde son reflet avec une intensité féroce. « Je ne me ferai pas baisser les yeux », pense-t-il.

La tentation lui est venue, après la mort de la Dame, de « tout dire ». Il écrirait un petit livre dans lequel il passerait aux derniers aveux. Les fourmis qui composeraient cet ouvrage seraient d'une taille impressionnante et d'une telle méchanceté qu'elles dévoreraient leurs congénères pourtant supérieures en nombre. « J'écris une centaine de petites pages et les jette sur l'ancienne fourmilière. Elle la brûleront au napalm. » Puis il se mit à rêver à ce désastre en fumant une cigarette. « Tout avouer... Me détruire... Ne pas laisser ce soin à mes futurs biographes... » Hésitation : « Le plus sûr moyen d'avoir sa statue, c'est de la sculpter soi-même... Pourquoi pulvériser, par un aveu, ma légende ? »

Il se demanda où était sa vérité. Est-elle celle de ce vieillard débarrassé de sa chiourme et qui frôle, la nuit, des adolescents-cariatides ? Ou bien...

Debout devant le portrait de la Morte, il prend délicatement celui-ci à deux mains et contemple longtemps le visage sévère. Il pose ensuite avec précaution le cadre d'argent sur le

guéridon et dit : « Tout est vrai, même ça ! »
Il crache sur la photo et de la pointe de l'index
étale la glaire sur le verre.

Il a ramené chez lui, l'autre nuit, un travesti aux cils interminables. Beau. Vraiment
beau quand il le regardait avec ses yeux glau-
ques de myope ; puis il a chaussé ses lunettes
et a frissonné de peur devant le regard bleu
et froid qui trouait ce visage plâtré, économe
de sourires par crainte de craqueler les fards.
Il a vu les mains osseuses d'ouvrier aux ongles
rouges. « Vous... — On ne se tutoie pas ? — Si
tu veux... — D'abord, chéri, je vais me déma-
quiller. Où est la salle de bains ? » Il l'a conduite dans la salle de bains où l'épouse passait
de longues heures, chaque matin, et où sont alignés les flacons des parfums qu'elle employait
et qu'il renouvelle. Il dit au travesti : « J'aimerais que tu te parfumes avec... » et il désigne
l'étagère. « Bien sûr, mon biquet. » Assis dans
un fauteuil, il entend des bruits de douche et
de flacons entrechoqués. Le travesti maintenant
chantonne un air à la mode. Le vieil écrivain
a la gorge serrée et, lorsque l'autre apparaît,
dans un peignoir-éponge bleu, sur le seuil du
salon, il ne lève pas immédiatement les yeux.
Enfin, il regarde. Cils arrachés, fards ôtés,
l'autre est maintenant une brute populaire dont
la voix, elle aussi démaquillée, a repris sa pro-

fondeur. Etrangement, il a gardé sa perruque blonde et ce visage, pour le vieillard, est un champ d'horreur et de beauté. Pourquoi ne lui a-t-il pas dit de conserver son maquillage ? Pourquoi faut-il que le Dieu de l'Amour arrache son masque et dise brutalement : « C'est ça que tu vas aimer ; le reste était ma danse. Au travail ! » *Horribles travailleurs !* dit Rimbaud.

— Tu m'offres à boire, biquet ?

— Oui...

— Tu as une petite liqueur verte ?

— Je crois.

Une « liqueur verte » ! bougonne *in petto* le vieil écrivain. Décidément, il est parfait mais je dois aimer qu'il ait ce goût pour une liqueur verte. Un effort encore et je m'émerveillerai de ses raffinements. Quoi de plus inouï, quoi de plus rare, quoi de plus vert et rêvé et rêveur qu'une liane de liqueur verte déroulée hors du goulot d'une bouteille ? Oui, il faut aller jusque-là ; oui, j'aimerai toute infamie jusqu'à la rendre précieuse. C'est moi, sale peuple, qui décide de ta distinction et mes plaisirs passèrent d'abord par ma répugnance et ne furent si vifs que parce qu'ils m'étaient offerts, là-bas, de l'autre côté de mon dégoût. Quoi de plus vulgaire que cette brute tenant entre deux doigts — avec une distinction de *five o'clock !* — un dé de cristal où tremble une grosse liqueur verte ? Mon Dieu, comme c'est beau puisque mon désir le veut.

Ils boivent.

— C'est très bien chez toi. C'est très chic.

Il y a un silence. Enfin, l'écrivain dit :

— Tu m'as reconnu ? Tu sais qui je suis ?

— Ben oui, biquet, tu es célèbre, tu sais. Moi, je t'aime mieux sans lunettes.

Il ôte ses lunettes.

— Tu as de beaux cheveux, biquet. Tu as toujours aimé les hommes ?

— Tu as lu mes livres ?

— Non. Tu m'excuses ?

— Oui...

— J'ai vu une pièce de toi, je crois. Un ami m'avait emmené au théâtre. Ça s'appelait... J'ai oublié.

— *Les Roseaux froissés* ?

— Non.

— *Le Soleil froid* ?

— C'est ça. C'était l'histoire d'un type et d'une bonne femme.

— Essaie de te souvenir.

— Oh, moi, la mémoire, tu sais...

— Le type, comme tu dis, se mariait à une très jeune fille mais le frère de celle-ci avait pour lui une haine inexplicable.

Premier mariage. Un jeune homme qui s'appelait Pierre Montcel s'était juré d'épouser « une infante », disait-il. Pari stupide ? Acte gratuit ? Ou bien cette tache originelle, qui consistait à être le fils d'un boutiquier (« Au bon parapluie » était le nom du magasin), et qu'il fallait effacer de sa vie et de sa mémoire. Pour cela, rien de tel que de se marier avec une perruche rose et aristocrate que Montcel avait enlevée à sa famille. Profitant d'une période militaire (« les vingt-huit jours »), il avait épousé l'innocente éblouie en uniforme d'aviateur, s'étant souvenu à temps qu'il s'était engagé, en avril 1918, dans l'aviation. Le mariage avait duré cinq mois. Le frère de « l'infante », dès le début de l'aventure, avait porté à Montcel une haine sèche. « Pourquoi épousez-vous ma sœur ? — L'amour ne donne pas ses raisons. — Si ce mariage n'est qu'une plaisanterie, monsieur, je vous demanderai des comptes. — Irons-nous sur le pré ? avait ironisé Montcel. — Encore faudrait-il que vous sachiez vous battre. — Certes ! Et puisque vous m'offensez, j'aurai le choix des armes. Et comme je

choisirai l'orthographe, vous serez en grand
péril ! » Le frère tourna les talons. Cette conversation avait ravi Montcel. Il y respirait des
parfums désuets et burlesques. Dans la pièce
qu'il avait écrite plus tard — car tout, d'une
vie de littérateur, devient *mots* — le frère, évidemment, était possédé pour la sœur d'un
amour incestueux et inavoué.

— Oui, ça y est, je me souviens. Et pourquoi le frère n'aimait pas le type ? Parce qu'il
en était amoureux et jaloux ?
— Non, il aimait sa sœur.
— C'est pareil. Ah, j'ai aussi lu des poèmes
de toi, je crois. C'est très beau.
Qu'est-ce que c'est, la poésie ? Qu'est-ce qu'il
y a dans ce cœur de brute aux ongles rouges
et dont la cheville est entourée d'une gour-
mette d'or ? Il écrivait des poèmes toujours
dédiés à la Dame ; d'une écriture aérienne dont
les musiques souvent paraissaient trop balan-
cées à son juge. Elle se méfiait. « Si tu veux,
je déchire... — Fais voir ! » Elle lisait, adossée
aux oreillers.
— Tu m'aimes pour les autres.

— Non.

— Si...

Querelle. Cris. Injures. Le soir, on les voyait au théâtre ou au concert et il lui tenait la main durant tout le spectacle. A l'entracte, des admirateurs venaient saluer le couple et faisaient mille compliments à la Dame. Jeunes écrivains et journalistes s'empressaient et passaient un sévère examen de servilité devant ce couple terrible clinquant de gloire et d'éclairs. Au cours des dernières années qu'ils vécurent ensemble, j'ai appris que l'écrivain avait parfois des absences. Un matin, il sortit de la salle de bains, son rasoir à la main, l'air hagard mais la voix calme. Il ne s'était rasé qu'une moitié du visage. Elle fut effrayée et lui demanda :

— Tu n'achèves pas de te raser ?

— Non.

— Pourquoi ?

Il était là, debout, son rasoir (il se rasait avec un « sabre » et non avec un Gillette) à la main.

— Je ne sais pas qui je suis.

— Tu es Pierre.

— Ça, je le sais. Enfin, c'est ce que tu dis.

Il regardait un tableau, accroché au mur. Fixement. Il transpirait et un rictus découvrait ses dents jusqu'à la gencive.

— Qui je suis ?

— Pierre...

— Oui, Pierre. Je le suis *évidemment* mais l'évidence n'est pas tout mon royaume.

Elle hésita. Elle le savait comédien et se demandait s'il ne lui jouait pas une farce infantile avec un art consommé — ou s'il était vraiment en train de devenir fou. Elle hésita puis, doucement, commença à l'injurier et à le traiter de paillasse et de menteur ; puis les injures devinrent plus lourdes et plus grossières et elle haussait le ton ; et elle cognait tel le satyre écrase à coups de pierre le crâne de l'enfant violé. Han ! Han ! Han ! A la fin, elle lui cria : « Tu veux que je te dise qui tu es ? Tu n'es rien, rien, rien ! » Un miracle s'opéra ; au fur et à mesure qu'elle le giflait et le fouettait à coups d'insultes, il cessa de trembler, son regard perdit de sa fixité et il se glissa de nouveau dans sa vieille peau d'esclave. Enfin, il se dirigea vers la salle de bains, sans dire un mot, et elle entendit le crissement du rasoir qui râpait l'autre joue. Elle avait parié qu'il ne se trancherait pas la gorge.

Depuis ce matin-là, il lui arriva assez souvent de se blottir dans des « absences » hors desquelles elle le hâlait en l'abreuvant d'injures qu'elle graduait en violence. Elle savait désormais, depuis le matin au cours duquel elle avait parié sur pareille méthode, qu'elle avait découvert le bon moyen. Que de haine crue entre ces deux êtres ! Mais ils vivaient au milieu de la scène, sous les feux de la rampe, et il leur était impossible de rendre le rôle et de s'entre-dévorer en pleine lumière. En ce sens, leur comédie d'amour méritera d'être saluée comme une harassante performance dont fut témoin le monde entier.

La Dame connaissait qu'elle n'aurait qu'une rivale : la Mort. Qui *serait-il*, quand elle disparaîtrait ? Elle avait des pressentiments et des flux d'angoisse lui disaient, la nuit, qu'elle s'en irait la première. Cette pensée, cette certitude aigrissait son humeur et, lorsqu'il tardait à lui obéir — à lui apporter par exemple son petit déjeuner, le matin (il allait lui-même chercher le plateau préparé par le domestique, dans la cuisine) — elle crachait : « Qu'est-ce que tu attends ? Que je crève ? » Ou bien, il chantait. Il avait d'ailleurs une assez belle voix et roulait les « r » comme un ténor. « Tu chantes parce que je vais crever ? » Ou bien il la regardait : « Je suis vieille, hein ? Je vais crever, hein ? » Elle eut tort de se conduire ainsi parce qu'elle lui mit dans la tête qu'elle était mortelle alors qu'il acceptait son martyre comme une éternité. Elle eut tort parce qu'il lui arriva d'envisager qu'un jour elle ne serait plus là et de contempler le somptueux appartement vidé de sa présence.

— Tu attends que je meure !

Elle ne supportait pas cette pensée et se demandait par quelle magie elle pourrait humilier et vaincre encore, par-delà la tombe. Elle eût voulu qu'il lui promît de se suicider le jour même où elle mourrait. Elle n'eut de cesse qu'il ne lui fît ce serment et lui promettait mille cauchemars s'il était parjure.

— Tu ne tiendras pas ta parole.

— Si.

— Tu auras peur et tu t'aimes trop.

— Non.

— Si. L'amour de soi (et elle lui expédie une pichenette sur le revers de sa robe de chambre) c'est le commencement de la peur. Hein ? D'ailleurs, puisque tu me fais cette promesse, c'est la preuve que tu admets que je mourrai la première.

— Mais non...

— Ne te défends pas. Tu es encore plus laid.

Il sourit. Il sait qu'il est beau. Elle lui sourit aussi et lui prend les mains qu'elle caresse. Elle lui dira, après un long silence, qu'il a de belles mains et poussera un bref soupir.

Il ne s'est pas tué. Il est bien vivant et bien portant. Après la mort de la Dame, il n'a composé ni poème ni roman pour moduler sa douleur mais a commencé à laisser pousser ses cheveux et à s'acheter des chemises aux tons pastel. Au début, dans Paris, l'étonnement a été vif. On n'osait y croire. D'abord, ce furent des bruits fureteurs et des allusions timides. Un tel, assis à une terrasse, prétendait avoir vu le vieil écrivain entrer furtivement dans un édicule et y passer une bonne heure ; un autre disait qu'à un dîner il arborait des manchettes de dentelle et avait tenu des propos d'une incroyable futilité. On n'osait y croire. On était encore intimidé par l'antique terreur qui drapait le couple ; on avait en mémoire les poèmes d'amour dédiés à la Morte ; on n'oubliait pas quelles positions, d'une inflexible rigueur politique, avait toujours prises le vieil homme. Puis, peu à peu, les bruits devinrent vacarme et les potins se firent de plus en plus scandaleux. Un jour, un homosexuel notoire déclara dans un dîner : « J'ai rencontré hier cette vieille folle de Montcel... » et personne ne fronça les sourcils. Les digues étaient ouvertes. Tout le monde y alla d'une anecdote ou d'une plaisanterie comme à une curée. Un chroniqueur qui faisait profession de proclamer à tout vent son amour des garçons eut un « mot » qu'on se répéta. Il disait : « Montcel ? Il a retrouvé les pédales ! » Nous vivions (nous vivons) une époque curieuse. La « libération des mœurs » permet à quelques invertis de talent de nous avouer enfin, avec de beaux accents, tout l'Amour de leurs amours naguère secrètes, mais les mêmes ne peuvent s'empêcher — lorsqu'ils déposent la plume du romancier — de moquer cruellement leurs frères (« Nos frères ? Mais non, nos sœurs ! ») et de s'offrir eux-mêmes à l'ironie amusée de ceux « qui n'en sont pas ». Comment se priver des délices provocatrices de la malédiction ? J'avais fait observer cette contradiction à un romancier pédéraste et (c'est un pléonasme) très parisien. « Vous avez raison mais, flûte, après tout ! Ce serait trop triste ! » Il disait « Flûte ! » Il jurait comme une femme. Disons plutôt que, grâce aux progrès de nos mœurs, les homosexuels seront bientôt les seuls à user de jurons distingués et fermons cette parenthèse.

— Alors, tu sais qui je suis ?

— Ben oui, gros biquet, tu es Montcel.

— Ça ne t'étonne pas ?

— Quoi ?

— D'être ici ?

Le travesti ne comprend pas. Pour lui, c'est l'anormalité qui est normale et il promène sur le monde un regard déformant.

— Pourquoi veux-tu que je sois étonné ?

Le vieil écrivain comprend et sourit. Il est heureux. Enfin, tout se détraque. Tout avait, d'ailleurs, toujours été détraqué mais le voici libre d'être cette folle qu'il était et que la Morte avait domestiquée sous une poigne de fer. Il est revenu le temps de ses jeunesses où il racontait dans les salons qu'il ne pouvait faire l'amour qu'en étranglant une colombe. Il promenait dans Paris une insolence poivrée de génie qui lui ouvrait toutes les portes. Musset avait lu Lénine. Lautréamont chantait les aubes rouges. Près de cinquante ans ont passé. Le monde a connu des épouvantes, des oppressions, des révolutions, des terreurs et des guerres. Le vieil écrivain, inlassablement, a chanté le Peuple, la Révolution et la Dame. Lorsque tout s'est écroulé, il est redevenu une folle. Quel gaillard nous avons là !

Je le suivais, dans la rue, et j'éprouvais à son égard un mélange entrechoqué de haine et d'admiration. Pour un peu, je l'eusse abordé et pris au collet : « C'est vous ! C'est vous ! Vous m'avez trompé et vous m'avez menti pendant des années ! Que n'avez-vous dit que c'était vent et littérature ? » Je le secoue, je lui récite des articles de journaux, des poèmes, des proclamations, des ukases. « Et vous portez des collants de femme, aussi ? » Je le regarde et je le suis. Je ne sais pas, aujourd'hui, de quoi est faite sa solitude, je ne sais pas ce que signifie ce vieillard aux yeux gluants de désir et qui rase les murs du boulevard Saint-Germain. Dérision ? Certes. Il est une dérision mais que me signifie-t-elle ? La fin de toute parole ou l'éternité, en moi, d'une jeunesse qui ne veut pas ne plus s'indigner ? « Qu'as-tu fait de mes souvenirs ? Sais-tu, oui, sais-tu que tu en étais comptable ? » Il s'éloigne. Il attend sagement, sur le trottoir, que stoppe le flot des voitures et le feu rouge du passage clouté pose sur son visage un voile de sang. Mais ce n'est peut-être qu'une illusion de ma colère.

Vieil animal qui promène dans la nuit sa vieille chair. Vieille bête éventrée et mille fois recousue. Vieille prostituée sur le ventre de qui sont passés les jours, les nuits, les modes, les mots, les politiques, les hontes, les remords, les fois, les silences, les secrets et les cris. Vieil histrion dont l'œil dur, couleur lessive, faisait peur et où parfois s'allume encore un éclair de domination. Il marche à pas lents. Il traîne la patte et ne laisse pas derrière lui une trace de sang mais d'encre. Un nuage d'encre, vieille seiche, qui t'abrite mais signale ta présence au harponneur, à ce pêcheur sous-marin que je suis, cette nuit, et qui t'accompagne. Il s'est un peu voûté, au cours de ces dernières années ; les épaules ont perdu de leur raideur et le visage de marbre est d'argile rose. Il guette et freine sa marche. Il est, depuis dix ans, atteint d'une assez forte claudication (due à une arthrite ?) qu'il maîtrise parfois ou à laquelle il s'abandonne. Il est dit, dans la légende, que Hephaestos avait forgé l'éclair en zigzag car telle était sa divine démarche. J'aime assez que Montcel, porteur d'antiques foudres, titube comme un dieu. Il s'arrête devant un magasin où l'on vend des fanfreluches féminines et qui s'appelle « Plumo ».

Alors, quoi, voilà l'homme ? Enfin, le voilà ? Comme je vous en veux, monsieur, et bien mortellement ! Que signifiera toute parole après vous ? Rien. Que signifieront les pleurs, les sanglots, les élans, les sentences et les sincérités confiés aux vagues d'un admirable style ? Rien. Vous êtes la preuve vivante qu'une vie peut être bâtie sur une imposture, que la terreur peut être sceptique, que l'éloge est fourbe et que tout écrivain possède en lui assez de boue pour pétrir dans son cœur une boule d'ordure. Monsieur, pour quoi se faire tuer si le génie et les mots ne servent qu'à tricher ? Menteur, vous êtes un menteur. « Oui, mais Montcel écrit bien ! » En effet, misérable, c'est tout ce que vous faites. Vous écrivez bien.

Non pas que je vous aie révéré, hier et naguère. Il suffisait de vous voir aux côtés de la Morte pour tout comprendre. Et que vous étiez une terreur terrorisée ; et que la Morte était votre SS ; et qu'elle vous lestait de glace et de feu mais qu'il eût suffi que le lien fût rompu pour que vous devinssiez... Quoi ? Cette folle

flottante ? Non. Voilà l'homme. Voilà ce que
vaut la littérature quand elle se mêle du
monde. Elle s'y prostitue et s'y dénonce. Ce
que je vous reproche, cette nuit, alors que je
fais mine, moi, d'examiner la vitrine du marchand d'estampes *la Pochade* tout en vous surveillant du coin de l'œil ? Je vous accuse d'être
le paillasse de votre passé — et de continuer
de prêcher votre évangile tout en ayant changé
d'aube et d'étole. Je ne vous reproche pas
d'être une vieille folle qui zigzague. Je vous
reproche, c'est clair, de ne pas avouer votre
« folie » à la face du monde. Si vous saviez,
alors, comme je vous aimerais ! J'irais baiser
vos mains et vous saluerais, très profondément,
lorsque vous passeriez. Et si l'on vous crachait
à la figure, je bondirais entre vous et l'insulteur
et recevrais le glaviot. Bref, je vous respecterais. Comprenez-moi bien, je vous en supplie :
que toute votre vie présente démente votre vie
passée m'est égal. Mieux même, j'estime que la
beauté s'y retrouve ; et l'émotion ; et ce qui
fait qu'une vie dérape dans l'imprévisible. Il
me plaît, ô infiniment, que Pierre Montcel, sur
ses vieux jours, se vête de chemises de soie
rose, se chausse de bottes à socques, s'enfonce
dans des manteaux blancs et traîne par tous
chemins, après soi, l'éternel minet. L'autre jour,
au théâtre, je vous ai vu, assis entre deux fleurs

aux yeux mouillés et qui se tortillaient sur leur siège, toutes fières d'être vos compagnes. Mon Dieu, c'était assez beau. J'étais émerveillé par votre culot alors que toute la salle désignait votre tête blanche. Le lendemain, je ne vis pas là un hasard lorsque je vous rencontrai chez *Saint-Laurent Rive Gauche* où j'étais entré pour acheter une cravate. Entre vous et moi, je ne crois pas au hasard mais aux dieux qui composent secrètement nos trajets afin que nous ayons des rencontres muettes ou que je vous suive, en douce, à pas étouffés. Vous étiez flanqué d'un gigantesque giton aux épaules trop larges et aux hanches trop étroites, au nez trop court et aux grands yeux trop fendus. Cocteau et Jean Boullet en ont dessiné de tels qui sont parfois à poil, à demi allongés sur une plage absente... Et, entre leurs cuisses, il y a une belle queue qui s'affaisse et qui rêve. Chez *Saint-Laurent,* le jeune colosse essayait des pullovers et vous tourniez autour pour juger de l'effet.

— C'est un modèle unisexe que nous faisons, a dit le vendeur. Evidemment, les tailles sont différentes.

— Différentes ? Il y a encore des hommes et des femmes ? avez-vous demandé en riant.

— On dit ça, mais moi, vous savez... a minaudé le vendeur en ondulant de manière complice.

Vos traits se sont durcis et vous lui avez jeté un regard de glace. Pour qui se prenait-il ? Croyait-il, l'insolent, que parce que vous aviez daigné plaisanter, du haut de votre trône, il avait l'autorisation de parler d'égal à égal avec Votre Majesté ? Moi, silencieux et laissant glisser entre mes doigts les cravates de soie, j'observais la scène et votre courroux royal ne m'a pas déplu. Vous faisiez face. Vous renvoyiez ce vendeur à ses froufroutements nerveux et, entre lui et vous, baissiez une barrière d'orgueil. « Même dans le vice, jeune homme, vous n'êtes pas mon égal. Je peux ramper à vos genoux, dans une chambre sordide ; je peux, au contraire, vous battre de lanières mais, en aucun cas, vous ne serez mon égal », disait votre regard qui, pendant quelques secondes, cingla l'infortuné. Oui, soyez-en assuré, où qu'il se manifeste, j'ai du goût pour l'orgueil quand il clame l'indicible. Est-ce assez clair ? Ce que je ne vous pardonne pas, c'est votre silence. Qu'attendez-vous, Montcel, pour *avouer* ? Je vous souffle les premières phrases de votre *dernier* livre : « Toute ma vie, j'ai été la folle. J'ai rêvé de plumes et de rubans, de corsets et de parfums. Je n'ai aimé ni le peuple ni les femmes mais les voyous languides et les mignons bavards. Pendant cinquante ans, j'ai menti. » Mentir est bien si éclate enfin, merveilleuse, la bombe de

l'aveu. Autre parole que je vous suggère :
« Lecteur, c'est la reine des folles qui te parle...»
Allez-y ! Poussez sur les colonnes de votre
temple ! Faites qu'il s'écroule sur votre tête !
Il y va de notre mince honneur d'écrivains, vous
savez. Je le crie. Vous êtes responsable de nous
tous. Je le crie. Vous n'avez pas le droit d'être
à la fois Marx et Charlus. Je le crie. Nous ne
nous en relèverons pas de votre double jeu.
Cri ! Dans les siècles des siècles, quelle tête
ferons-nous lorsqu'on lira vos livres d'âge mûr
et vos poèmes à Clara et qu'on apprendra, en
appendice, que vous avez sombré dans la fofol-
lerie sans l'écrire. Mais je précise encore car
votre conduite m'exaspère au plus haut point
et m'encolère de mépris : il me serait égal
qu'à l'heure tranquille où les lions vont boire
et où tous les invertis de la Terre se coulent
dans les rues, il me serait égal qu'à cette heure
d'irrésistible trouble vous partiez en chasse
solitaire au matelot et au mignon. Egal. Nous
avons eu des écrivains, fous de ces désirs-là et
de ces imprudences et qui, avec un toupet royal,
ont chanté la femme ; *mais* ils n'avaient jamais
prétendu au magistère du Peuple et à l'amour
de la Révolution, *mais* ils n'avaient pas menacé
de leurs foudres les impies de la politique, *mais*
ils n'avaient pas, aux yeux de Paris et du
monde, affiché leur adoration pour une Dame

ainsi que vous le fîtes pour Clara et, enfin, du jour au lendemain, ils ne s'étaient pas mis à minauder, en tous endroits à la mode, au bras d'adolescents amollis de chaleurs. Je veux dire : vous, monsieur, vous nous deviez soit des fidélités roides, soit des hypocrisies décentes, soit l'aveu. Vous avez choisi le pis et vous voici fidèle et folle.

— C'est très chic, chez toi ! Et je suis sûr que tous les tableaux valent une fortune.

— Tu connais la peinture ?

— Non, j'y connais que dalle mais je sais qu'aujourd'hui plus un tableau est moche et plus il vaut du fric. Pourquoi tu me regardes ? Tu veux que je me maquille ? J'ai peur de me barbouiller quand nous ferons des choses. A propos, Biquet, c'est pas que j'aie pas confiance mais tu me fais un petit cadeau et on n'en parle plus, d'accord ?

Le vieil écrivain va chercher de l'argent que le travelo fourre négligemment dans son sac, non sans avoir vérifié d'un rapide coup d'œil que le bon compte y était. Il désigne une photo dans un cadre d'argent et un tableau « ressemblant ».

— C'est Clara, hein ?

— Oui. Tu sais qui c'est ?

— C'était ta femme. Je t'ai dit que j'avais lu des poèmes de toi. Ça serait marrant que tu écrives des poèmes pour Sabine.

— Qui est Sabine ?

— C'est moi.

Le vieil écrivain traverse le boulevard et change de trottoir. De ce côté-ci, les lumières sont moins vives et, avant d'arriver au *Café de Flore,* il sait qu'il sera ondoyé par les regards de trois ou quatre jeunes gens. Curieusement, de ce côté-ci, ils sont moins élancés ; les hanches sont moins fines, les cous moins longs. Plantes qui reçoivent moins de lumière et dardent moins haut leur corolle vers le ciel. Le vieil écrivain se demande si je ne suis pas un flic qui, en mouillant le crayon du bout de la langue, rédigera tout à l'heure un rapport sur ses activités nocturnes. Une colère de l'ancien temps lui remonte à la gorge. « Peuple de

flics ! A moi, jeunesse du monde ! » Meetings,
congrès, manifestations, défilés, en ce temps-là
nul ne savait quel trouble était le sien lorsqu'il
était brassé et roulé dans ces énormes houles
d'hommes. Et ces poings levés comme autant
de phallus et *l'Internationale* qui grondait
comme un râle d'amour... « O peuple ! O Grand
Sexe ! Broie et écrase, je suis à toi ! »

Devant le magasin dans les vitrines duquel
brillent des instruments de chirurgie, il hésita.
A quelques mètres, le *Flore* l'appelait, gorgé de
cent éphèbes. Ils entrent et sortent, les épaules
raides, à pas précieux. Il les aperçoit qui tra-
versent le sas formé par les deux portes de la
terrasse et qui se diluent dans la salle enfumée.
Terrain interdit. Demain, tout Paris saurait que
Montcel, désormais, a toute honte bue et vient
chasser à l'intérieur même du *Café de Flore*.
« Bientôt, dirait-on, il va présenter un numéro
à *la Grande Eugène !* » Si seulement cela arrivait, je serais — je le jure — le premier à aller
l'applaudir et mon respect crèverait mille digues lorsque je verrais la Montcel, nouvelle
Marlène, apparaître en robe lamée, battre des
cils, poser son long fume-cigarette sur le coin
du piano et, la voix rauque, nous chanter une
chanson révolutionnaire sur l'air de « C'est
mon homme ». Qui oserait moquer tant d'héroïsme ? Qui n'observerait un silence d'église

dans la loge où, assis devant la table de maquillage, la Montcel ôterait ses faux seins de caout-
chouc-mousse et sa perruque blond platine ?

Biquet est allé dans la salle de bains et a
écrasé une noisette de vaseline sur le bout de
deux doigts. Sabine baisse les lumières. Biquet
est à quatre pattes dans la chambre tendue de
satin mauve. Dans le salon, un disque tourne
sur l'électrophone et Pierre Boulez dirige *le
Sacre du printemps.*

Pourquoi le vieil écrivain avait-il épousé la
Morte ? C'était elle qui s'était emparée de lui.
Cette belette féroce avait été frappée d'un
éblouissement dès sa première rencontre avec
Montcel, alors âgé de vingt-huit ans, et avait
décidé d'être l'épouse et la compagne de la
beauté et du génie. Des amis l'avaient prévenue
et lui avaient raconté des histoires de pigeons
étranglés et de lupanars à vitres dépolies et à

œilletons, mais son visage s'était fermé. Elle n'aimait pas. Elle était froide. En elle, dévorante, rien qu'une volonté de possession.

Le mariage eut lieu et ils partirent à Venise où Montcel tira des feux d'artifice d'images et de métaphores éblouissantes. (Ça ne lui coûtait rien. Il avait le don.) La ville était à lui. Il y marchait aux côtés de Wagner et de Gœthe, de Goldoni et de Barrès, de Musset et de Casanova. Il n'était pas le moins génial. Sa verve de propriétaire de ces venelles, de ces *piazzetas*, de ces palais et de ces trésors ne tarissait pas. Il contait les mystères de Giorgione, les ruses du Tintoret pour voler des commandes au Titien... « Et savez-vous, Clara, pourquoi le doge Contarini, au xvie siècle, passait pour un modèle de vertu ? » Non, elle ne savait pas. » Parce qu'il avait résisté aux séductions des religieuses ! — Voyez-vous ça ! » disait Clara. Décidément, il n'y a de vraie volupté que dans les remords. Ce doge était un grand sot et lorsqu'on a le bonheur de vivre en un siècle où c'est à Dieu lui-même qu'on dispute ceux qu'on aime...

Montcel ferme les yeux. L'orchestre du café *Florian* joue : « Je t'ai rencontré, simplement/ Et tu n'as rien fait pour chercher à me plaire...» Dès que Wagner s'installait à cette terrasse, les arrière-grands-pères de ces musiciens atta-

quaient — et massacraient — l'ouverture de
« Tannhäuser » que le maître écoutait sans
broncher avant d'aller ensuite, plein de gran-
diose bonté, féliciter ses assassins. « Voyez-vous
ça ! » disait Clara. Quant aux entremetteuses,
elles avaient résolu le problème de la présenta-
tion de leurs belles aux *cavalieri*. Elles les dra-
paient de blanc et les faisaient asseoir, dans des
poses de pleureuses ou de Pietà, sur les tombes
des églises. Imaginez le beau cavalier qui passe
et qui, dans la pénombre, se demande s'il a
affaire à une sainte de marbre ou à une innocente vivante à qui une sorcière, tapie derrière
un pilier, a demandé de prendre la pose et de
servir d'appât au chasseur de plaisir. Il s'approche, il hésite et la statue soulève ses paupières
baissées et lui coule un regard d'abandon. Dieu
soit loué, c'est une fille ! Et le cavalier prend la
main de la beauté à vendre et murmure : « Lève-
toi et marche vers mon palais où je t'attendrai,
cette nuit, et t'ouvrirai une porte dérobée. » La
vieille lui barre le passage. « Elle est à vous, seigneur cavalier, mais c'est douze sequins. » Elle
empoche. Montcel chantonne : « Je t'ai rencontré, simplement / Et tu n'as rien fait pour chercher à me plaire. / Je t'aime pourtant, d'un
amour ardent / Dont rien je le sens ne pourra
me défaire... » Il ouvre les yeux. « Vous chantez

faux », dit Clara. « Eh oui... — Vous parliez de remords, tout à l'heure ? Vous aimez en éprouver ? — L'habitude de les mériter les fait bientôt perdre », répond-il. La troisième nuit, elle lui déclara qu'il n'était pas nécessaire qu'il fît de vains efforts et qu'elle ne l'avait pas épousé pour *ça*. Pourtant, le lendemain, place Saint-Marc, alors qu'une nuée de pigeons les enveloppait, elle ne put résister et dit : « Et si vous les étrangliez tous, est-ce que vous y arriveriez ? Ou peut-être désirez-vous que j'aille m'asseoir sur une tombe ? »

Restait à le mettre en cage et à forger des barreaux qu'il ne pourrait pas écarter. Cet homme ne serait soumis que si on lui passait un carcan autour du cou. La politique ferait l'affaire. C'est là, entre mille ruses féminines, l'une des plus courantes lorsque l'homme n'est alourdi d'aucune virilité et risque d'être emporté, par le moindre vent coulis, vers on ne sait quel horizon fragile. On lui leste cœur et cervelle de pavés politiques et, à défaut de testicules, c'est la politique qui le cloue au sol où la mante le dévore. Les premiers coups de marteau que frappa la Morte sur les clous de la crucifixion firent un peu crier Montcel mais, bientôt, il chanta pour en scander le rythme.

Ils allèrent à Florence, à Assise et à Urbino. Partout, Montcel fusait de plus en plus des jets de métaphores et de paradoxes. A Rome, il se proposa de voir le pape et de lui montrer son pénis. (C'était là une de ses manies et de ses vantardises. A défaut d'en user, il menaçait le monde de la vision de son sexe.) Clara souriait un mince sourire. « Et quelle ne sera pas la surprise du pape, hein, lorsqu'il apercevra mon sexe ! — Vous croyez ? — Oui, oui... Je crois. Mieux que de la surprise, ce sera un émerveillement, car sachez que mon sexe sera tout cerclé de bagues, comme un col de négresse l'est d'anneaux... » Elle laissait dire ce grand enfant.

Saint-Germain-des-Prés. Etoile de mer dont le cœur est une place et dont les branches s'appellent la rue de Rennes, le boulevard Saint-Germain, la rue Bonaparte, la rue Saint-Benoît. Etoile de mer qui flotte et dont les branches frissonnent entre les eaux de la nuit. Etoile phosphorescente, clouée sur Paris et qui jamais ne dérive. Je l'ai vue s'électriser au cours de ces vingt-cinq dernières années et flamboyer bientôt de mille lumières. Saint-Germain-des-Prés, devenu ce phare absurde contre les vitres duquel viennent se cogner, dès que s'éteint le jour, des fronts trop pâles, des visages trop fardés, des corps de filles et de garçons à vendre ou à louer. L'atmosphère d'une légende y est maintenant empuantie par les gaz des automobiles ou parfumée par les eaux de Cologne « Victor » que l'on vend au *drugstore*. *Aux Deux-Magots*, André Breton, œil bleu et crinière de marbre, régnait sur les débris d'une cour, dictait des communiqués et décorait les « Marie-Louise » de l'armée surréaliste en déroute ; au *Flore*, j'ai vu Antonin Artaud pousser des gémissements aigus, soudain, et se mettre à griffer la table. Le cheveu épars, le front immense, le menton en galoche d'une sorcière de sabbat, l'œil fou, il criait en griffant la table et M. Boubal n'aimait pas beaucoup cela. Toute notre jeunesse entrait chez *Lipp* avec Albert Camus qui ressemblait à Humphrey Bogart et en portait l'imperméable. L'humanisme modern style et modern désespoir en trench-coat de gangster, quelle aubaine pour nos yeux ! De son pas fonceur, Sartre traversait la place. Avec, sur ses épaules, la tête de Harpo Marx et du génie dans l'œil noir, Giacometti boitait vers un café, tel Vulcain vers sa forge, et dessinait des têtes minuscules sur un coin de table. Saint-Germain-des-Prés... J'ai vu Ezra Pound, crinière blanche, l'œil d'un aigle (un œil bleu) dans une face sèche et calmement fu-

rieuse de prophète qui est sorti de son désert
pour anathémiser Babylone et, chez *Lipp*, les
clients ont compris, lorsqu'il est entré, que ce
long vieillard marchait dans une gloire ou une
haine. Ils se sont tus. Et Michel Leiris achetait
ses journaux au kiosque situé en face des *Deux-
Magots*. Crâne rasé de bagnard qui tresse l'osier
de ses livres. Criminel de la littérature. Bourreau des mots. Il rougissait du crâne quand il
était ému ou furieux. Un soir, je sortais du
Village et Vian y entrait et m'a demandé : « Ça
va, coco ? » Il avait des dents à peine plus
blanches que son visage, des lèvres ourlées, des
mains d'ivoire. Il parlait volontiers en prenant
l'accent d'Auvergne, de Bretagne, ou bien il
nasillait. Il égarait sa voix, par timidité, comme
un clown blanc aux yeux de cheval triste. Mon
Dieu, c'est vrai, j'y pense : il portait *sa face*.
Yeux fermés, joues gonflées de je ne sais quelle
farine, il soufflait, au *Tabou*, dans (disait-il)
sa « trompinette ». Il m'a dit : « Alorrrs, ça va,
coco ? — Et toi, ça va, coco ? » Oui, ça allait.
Certainement, nous avons dû encore échanger
trois ou quatre autres phrases mais je les ai
oubliées. Nous étions jeunes et je n'imaginais
pas (Boris non plus) que les années 60 recon-
naîtraient, en livre de poche, que « Boris Vian »
était un des enfants du siècle. Notre postérité
n'était rien que notre seul lendemain. Ou, plus

proche encore, cette nuit au cours de laquelle nous allions nous retrouver, à *la Rose rouge,* écrasés contre le bar ou tassés au bas de l'escalier. Nous y écouterions, pour la centième fois, comment, selon Queneau, un monsieur avait eu des aventures singulières sur la plate-forme de l'autobus 84. Trois jours après nos « Ça va, coco ? », Vian était mort. Nous avons dit : « Merde, Boris est mort... » Nous n'étions pas sentimentaux. Ni très sensibles, je crois. Cynisme ? Inexpérience ou maladresse du cœur ? Intellectualisme plus avide de se nourrir d'ironies que de pitiés ? Dandysme débraillé d'intellectuels grands fumeurs de « Gauloises » ? « Existentialisme » (et « marxisme ») de garçons qui avaient crainte d'être pris en flagrant délit de complicité verbale avec la vie « respectable » où les mots traînent des relents de familles, de crasses sentimentales, de bourgeoisies suspectes ? Il ne fallait surtout pas être « sérieux ». Beaucoup de jeunesse, dans tout cela. Mais c'est vrai que la guerre, derrière nous, avait fait s'écrouler des temples. Hors des ruines, pourtant, s'est glissé André Gide, en cape et large feutre, et qui assiste à la première (en quel cinéma était-ce ?) d'un film dont nous savions, grâce au tam-tam, qu'il était « génial ». Sur la scène, un de nos copains, Astruc, postillonne pour nous en avertir. Gide s'est levé au beau milieu de la séance, en dérangeant tout le monde. Le lendemain, je lui ai dit : « Vous n'avez pas aimé *Citizen Kane ?* » Il me répondit : « Lorsque j'ai entendu Wagner, pour la première fois, j'ai dit : Non ! Pas ça ! C'est le Mal ! Et je pense la même chose de ce Wells. C'est le Mal ! Quand l'intelligence boit de ce vin-là, elle devient ivre, ne connaît plus sa règle et sa mesure et la voilà barbare. Le Mal, c'est cela... » Il croise ses jambes maigres et les genoux saillent sous le pantalon. « Je n'aime pas les barbares exhibitionnistes. Vous allez souvent au cinéma ? — Oui, beaucoup. » Quelques-uns d'entre nous avaient un scénario en poche ; d'autres avaient réussi «à retaper un dialogue», tous nous écrivions un roman en guignant très fort du côté de la littérature américaine dont l'un des seigneurs venait parfois visiter Paris et s'étonnait de la ferveur qui l'entourait et de l'attention admirative que nous mettions à compter les verres qu'il vidait. Où est Faulkner ? Il est là, dans le salon aux murs de crème, au plein du tourbillon qui s'est formé devant le buffet. Il a le teint rosi par l'alcool. Il porte un gilet boutonné et une veste de tweed. C'est vrai qu'il ne ressemble pas à Faulkner mais à un militaire britannique. Au bar du *Pont-Royal,* Carson MacCullers n'arrivait pas, un matin, à allumer sa cigarette tant ses mains tremblaient. L'alcool. Elle m'a dit que, vers les cinq heures, ces deux oiseaux blancs — ses mains — se tenaient tranquilles. Mauriac n'était pas content de nous. Il écrivait qu'il y avait à Paris une mare où des rats nageaient, têtes triangulaires filant à la surface du cloaque et au milieu de dérives d'excréments. Il exagérait. Il ne savait pas que les rats, grands ou petits, passaient leur temps à se demander s'ils n'étaient pas des « salauds » et, Hamlets en canadienne américaine, à se poser la seule question : Etre ou n'être pas communistes. Pierre Courtade, qui avait le plus chaleureux sourire du monde, Hervé qui, comme Staline, fumait la pipe, Vailland qui burinait sa tête de faucon venaient en visite, parfois, à Saint-Germain-des-Prés. C'était péché, mais, après tout, ce type maigre qui sort du *Royal*, rattrape ses lunettes de fer glissant sur l'arête affûtée de son nez, passe devant la terrasse des *Deux-Magots* et file vers la rue Bonaparte, c'est Kanapa. « Rapport au BP, je te signale : il nous a vus ! » Courtade sourit de pitié. « Tu connais mal Kanapa. — Je le lis. — Eh bien, lui aussi a de mauvaises lectures. C'est à lui que j'emprunte *les Temps modernes*, chaque mois. » Il sourit encore ; et on a un vague regret de n'être pas communiste quand ses yeux couleur

noisette brillent d'une amitié. Avec Kanapa,
c'est une autre paire de manches. Toute parole
échangée, entre lui et vous, devient fanatique.
Je savais qu'il avait été un grand tuberculeux.
Je pensais parfois qu'il n'avait fait que changer
de fièvre. Il n'y avait pas d'automobiles rangées
sur la place et non plus dans les rues. C'était
peut-être le bon temps. Je ne sais pas. Je ne
sais plus. Je me méfie des souvenirs. Ils invi-
tent à un rythme d'écriture que ma pudeur
n'aime pas. En outre, ils sont trop dociles et
rien n'est plus obéissant que les nostalgies
lorsqu'on les siffle. Elles arrivent, comme de
gentils toutous, en remuant bonnement la queue,
l'œil humide et fidèle. Nous étions jeunes et
désespérés avec beaucoup d'intelligence et trop
de mots. Derrière nous, toute brûlante, je vous
l'ai dit, la guerre. Un monde s'était englouti et
nous étions grimpés sur ce radeau qui, au cœur
de Paris, flottait sur la mer tiède de la paix.
Nous étions jeunes. Nous n'avions pas d'argent
et passions notre temps à nous prêter les uns
aux autres quelques billets. Nombre de pièces
de métal étaient encore à l'effigie du maréchal
Pétain. Nous étions amis — Dieu, que nous
étions amis ! — et formions des clans. Monde
simple : d'un côté, les canailles ; de l'autre,
nous. Quelque part, les communistes. A la fois
terribles et fascinants. Nous nous serrions les

uns contre les autres pour n'être pas happés par l'aimant stalinien qu'une main gigantesque promenait au-dessus de nous en essayant de détacher de ce bloc solidaire quelques morceaux de grenaille.

Le vieil écrivain dont la chevelure d'argent flotte dans Saint-Germain-des-Prés, cette nuit, nous inspirait étonnement et vague crainte. De la hargne, aussi, je m'en souviens. Nous ne comprenions pas qu'il fût à ce point « sectaire » et qu'il laissât tomber tant d'injures et tant de fiel sur ceux qui n'étaient pas de son bord. Chef de meute d'une kyrielle d'intellectuels et d'écrivains enrégimentés dans « le culte de la personnalité », il lâchait ses roquets sur l'adversaire et répugnait, lui, aux trop faciles besognes. Il ne rugissait que devant tel animal lui paraissant digne d'être déchiré par ses griffes. Noblesse oblige. Un peloton d'exécution n'est pas commandé par un général. Années de fer. Orages d'insultes, de dialectiques, d'articles, de mots. Jamais les Intellectuels ne se traitèrent aussi rageusement les uns les autres de valets.

Bref, nous étions en quelque sorte barricadés dans Saint-Germain-des-Prés. C'était notre Montségur, notre Numance et notre Troie aux murs battus par les vagues d'assaut staliniennes. Tout notre système de défense s'appuyait sur Douaumont-le *Flore* et Vaux-les *Deux-Ma-*

gots, forts inexpugnables eux-mêmes flanqués
de trois ou quatre bars. Nous possédions de
grandes réserves de cigarettes, de café et de
whisky, nous ne manquions pas de mots et
l'arsenal de Gallimard forgeait nos meilleurs
canons. Malheur au stalinien de stricte obé-
dience qui, à la nuit tombée, se glissait à travers
nos remparts en volant le mot de passe (« Je
viens boire un verre »), entrait au *Montana*
ou au *Village,* s'installait sur une marche de
l'escalier du cabaret *la Rose rouge.* Aussitôt
repéré, l'ordre d'attaque était donné contre lui
mais le bougre se défendait âprement, bien
abrité derrière son bouclier d'airain marxiste,
cuirassé d'arguments staliniens et poussant le
cri de guerre : « Vive Maurice ! Vive le Parti ! »
Encerclé, il hurlait : « Vive le prolétariat !
Vive le socialisme ! » — et aussitôt nos doigts
devenaient gourds sur la poignée des dagues.
Méprisant, l'intrus nous jetait alors : « Vous
êtes des fascistes ! » Est-ce que je mens, amis
perdus ?

Certes, jamais Montcel ne descendait à Saint-
Germain-des-Prés, territoire maudit à l'air pes-
tiféré. Ces cafés, ces bars, ces terrasses, ces
boîtes de nuit, ces rues, tous ces repères d'héré-
tiques nous étaient abandonnés. Puisque nous
étions des maudits, autant nous laisser pourrir
et délirer dans notre ghetto. Un jour, installé

à la terrasse du *Café de Flore*, je le vis passer en automobile — avec chauffeur — assis à côté de la Dame. Au niveau du café, la voiture ralentit et Montcel balaya la terrasse d'un regard de glace. Je dis à l'ami qui était assis à ma table : « Tu as vu ? C'était Montcel, dans la bagnole. — Il vient repérer les murs contre lesquels il nous collera », me répondit-il.

Une vingtaine d'années plus tard, comment voulez-vous que j'en croie mes yeux lorsque je vois un vieil homme « pédaler » en boitant rue de Rennes et répondre au regard que lui coule une petite frappe aux cils en pâmoison ? Ce vieillard, vêtu d'un manteau à la mode qui lui bat les mollets, c'est Montcel ! C'est lui ! C'est lui ! Maurice est mort, Staline est mort, la Dame est morte, les murs du ghetto sont tombés. Ce qui fut notre Montségur est envahi par des milliers de touristes, par des jeunes en mal de marihuana, par des zonards qui font pétarader leur moto, par de fringants jeunes pieds-noirs qui donnent au boulevard Saint-Germain des allures de rue Michelet. On est à Alger, à Marseille, à Londres, à New York — partout —

et la foule piétine des feuilles invisibles et mortes qui sont nos anciens livres, nos articles, nos polémiques, nos manifestes... Les envahisseurs marchent dans les bouillies de papier d'où s'écoule un jus d'encre délavée qui eut la couleur de nos colères et de nos fois. Ça leur colle aux semelles. Ils rentreront chez eux, tout à l'heure ; ils essuieront tout ça sur le paillasson. Et la foule marche dans un brouillard d'anciens mots et de cris, dans l'immense bourdonnement muet de nos vieux bavardages, avec l'indifférence des touristes qui visitent un champ de ruines ou de bataille. Ici, c'était Pompéi et là c'était Verdun. Des ombres rôdent qui s'écartent, attristées, sur le passage des blindés étrangers. Staline, Maurice, Jeannette, Foster Dulles, MacArthur, Albert Camus, Artaud, Faulkner, Nimier, Vailland, Olivier Larronde, Giacometti, Vian, Hemingway, Vittorini, Courtade, Gaston Gallimard, tout le monde est mort et, sur la barque, Virgile me tient par la main et nous visitons un enfer de dérision et de consommation. Fringues orientales, *sex-posters*, motos. A travers la vitrine de la galerie d'art moderne *Alexandre Iolas*, une machine de Tinguely, conçue pour rien et qui ne sert à rien, mouline l'air de ses pinces d'acier rouillé. Rue de Seine, on vend dans des cadres de petites motos-jouets écrasées par César. Chez *Carvil*, boulevard Saint-Germain, les chaussures ont des talons de dix centimètres. Socques de quelle comédie ? Cothurnes pour quelle tragédie ? Dans une boutique-grotte de la rue Saint-Benoît, des stalactites aux couleurs fauve, rouille, rouge : manteaux, soies et robes qui sentent le santal et le musc de tous les Orients. Deux cars de CRS sont assoupis devant la statue de Diderot mais ne dorment que d'un œil. Là-bas, dans cette contrée qui était, en d'anciens temps, le bout du monde — le boulevard Saint-Michel — on a arraché les pavés et coulé de l'asphalte. La prochaine fois, il faudra que la Révolution apporte des pierres dans les coffres des voitures afin de construire ses barricades.

Tout le monde est mort. D'autres encore : Django Reinhardt, Guy Mollet, Benoît Frachon, Sydney Bechett, Paulhan, Gide, De Gaulle, Duclos, Jacques Fath, Christian Dior, Gérard Philipe, Mauriac et Wols qui, à *la Louisiane*, avait les yeux larmoyants d'ivresse et cachait ses toiles sous son lit. Et toi, Montcel, es-tu vivant ? Et moi, avec mon goût des villes défuntes — Vienne, Venise, Bruges, Nuremberg, Sienne, Avila — est-ce que je suis père ou bourreau du jeune homme que je fus ? Pourquoi égrener les noms de tant de fantômes d'êtres et de villes mortes ? Avec l'âge, mon pauvre vieux, est-ce que tu deviendrais romantique ?

Non, mais avec le temps qui passe des musiques montent et donnent à mon cœur des éloquences. Ce n'est rien d'autre que cela, je vous le jure, et Venise par exemple ne m'est pas un lieu où je viendrais trouver un accord à je ne sais quelles mélancolies. En vérité, tout simplement, j'y ai rendez-vous.

Allons, je ne pleure sur aucun passé mais, à pister le vieil écrivain, en cette nuit de juin, j'ai aussi le cœur plein d'une tristesse étonnée. Fichtre, c'est que j'ai cru et non cru, moi. Je croyais que c'était tout de même sérieux et grave d'être Montcel et d'avoir son génie, son verbe et son luth. Je croyais qu'après de tels choix il n'est d'autre issue et d'autre dignité que la fidélité brute ou le reniement éclatant. Au fond, j'étais naïf et pensais que les intellectuels et les écrivains peuvent s'occuper de politique ; que les poètes ont quelque importance quand ils cessent de baver la soie de leurs vers. J'ignorais qu'un poète est un serin dès qu'il s'occupe du ménage quotidien de ce monde. Non, non, non, je le savais mais j'espérais que le vieil écrivain, par exemple, n'était pas le maquereau de son talent et le souteneur de ses névroses. Pas tout à fait. Qu'il y avait autre chose. Que s'il changeait, un jour, nous aurions droit au surgissement magnifique de l'aveu. Qu'il ne fallait pas désespérer des adjectifs et des phrases de cet homme et qu'un jour il s'avancerait, s'arracherait le cœur, le jetterait sur la table et dirait : « Voyez ! » Qu'il y aurait une folie d'orgueil dans son reniement comme il y eut même folie dans ses soumissions.

Cela, la Morte le savait. Ce n'est pas si facile d'humilier un être intelligent. Que fait-il, au plus profond de soi, de ses hontes ? Des joies savourées, peut-être. Des fêtes. Nul n'est plus retors qu'un esclave et qui sait s'il ne caresse pas en secret la main du bourreau endormi ? Qui sait s'il n'embrasse pas cette main aban-donnée dont il garde encore sur la joue la trace des doigts brûlants ? En quoi, en quel brouet de délices transforme-t-il le souvenir de ses agenouillements ? Soudain, au faîte de sa rage, Clara se calmait. Bouche tirée par deux plis amers, lèvres avalées, les yeux ensauvagés d'une rage intérieure, tête dressée sur un cou maigre où saillaient deux tendons, elle regardait Mont-cel sans dire un mot en se demandant s'il était toujours nécessaire de frapper sur ce sac d'où ne s'envolaient que des nuages de poèmes cou-leur rose. Elle savait qu'il avait mis un orgueil masochiste (ça existe !) à abaisser son talent, à mirlitonner des vers politiques et à briser la cadence autrefois superbement oratoire de son style. Il avait martelé son génie, maté ses élans, mouillé ses fusées avec une complaisance

docile, si docile... Elle s'était acharnée à le
réduire ainsi et, au début, il avait défendu ses
premiers — et ses meilleurs — livres. Puis,
au fil des années, comme un homme qu'une
nouvelle maîtresse oblige à renier ses enfants,
il avait fini par cracher sur ses œuvres de jeunesse. « Avec toi commencent mes jours »,
disait-il dans un poème (à Clara) qui se termi-
nait par : « Sans toi j'abolis ma vie. » Elle
n'en croyait pas un mot et pas une rime mais
qu'importait ! Il était là. Il obéissait et chantait ! A sa manière, la Morte avait acquis une
mentalité cynique de femme entretenue : le
vison s'appelait célébrité et les bijoux poèmes ;
les orchidées étaient ces milliers de rimes qui
la célébraient. Qu'importe à la putain si le vieux
beau ou le jeune duc se ruine dans la haine
pourvu qu'il file doux et soit exact au rendez-
vous !

— Tu es un bourgeois, lui disait-elle. Sans
moi, tu serais une ordure de salon. Tu te serais
vendu. Tu aurais fait la roue chez les Rotchs-
child et donné des conférences en Amérique.
Tu aurais épousé une milliardaire droguée. Tu
es une saleté bourgeoise, au fond de ton cœur.
Tu as eu de la chance.

— Oui, disait-il.

— Tu penses *non !*

— Je t'assure, Clara, que ce n'est pas vrai.

— Si !

Elle hurlait.

— Mais sais-tu, au moins, que je déteste ça...

— Quoi ?

— La littérature, les livres, les mots. Tout ce que tu es : de la chair de papier, du sang d'encre noire.

— Tu devrais l'écrire. Ce serait un bon livre.

— Ne compte pas sur moi pour te donner des répliques de théâtre. Je serai muette, Montcel, et rien ne s'envolera hors de ma tombe. Tu avais l'intention de publier notre correspondance, hein, quand je ne serai plus là ? J'ai brûlé les lettres. Je ne veux pas laisser de traces, à côté des tiennes. Je ne veux pas que mes pas s'alignent, pour l'éternité, à côté des tiens. Mon Dieu, que je vomis la littérature !

— Allons ! Ne sois pas hystérique..., disait-il.

Elle criait qu'elle était hystérique à cause de lui. Et qu'est-ce que cela signifiait, « hystérique » ? C'était Freud et ses pacotilles qui lui encombraient toujours la cervelle ?

Il est revenu sur ses brisées. Il a descendu la rue des Saint-Pères, afin d'éviter le *Flore*. Il a pris la rue Jacob puis la rue Bonaparte.

Il est passé devant l'église, il a traversé le boulevard. Son intention est de voir s'il y a du gibier, sur le trottoir de la rue de Rennes, entre le *drugstore* et le magasin de chaussures *Céline*, mais, pour se rendre sur ce lieu de chasse, il emprunte un itinéraire tout de détours et marqué de pauses d'affût et de prudence. En ce moment, il s'est arrêté devant la vitrine de *Ted Lapidus*. Les lettres du nom du couturier explosent, dorées, et leur reflet maquille le vieillard de lumière jaune. Il passe ensuite devant le magasin de disques, stoppe devant la boutique *Lorenzo*. En face, les vitrines du *Monoprix* éclairent faiblement le trottoir. Hors des bouches de ventilation du métro monte un air chaud et, sur quelques mètres, le trottoir est une serre où fleurissent trois ou quatre garçons dont il devine les silhouettes. Il cligne ses yeux de myope — par coquetterie il ne porte jamais de lunettes dans la rue — mais il lui est très difficile, à pareille distance, d'apprécier la grâce des jeunes gens. Tout à l'heure, il est passé devant l'église dont l'intérieur était éclairé et où devait se célébrer quelque office. Un garçon lui a dit qu'il avait vu, le mois dernier, « une merveille » en train de prier à genoux devant la statue de Notre-Dame-de-Consolation, la Vierge qui est située sur le bas-côté droit. « C'est un ami très pieux qui m'a

raconté. Tu sais, devant Notre-Dame-de-Consolation il y a toujours des tas de cierges allu-
més. Et mon ami m'a dit qu'il avait vu, là,
agenouillée, la vraie vraie merveille. Un profil ! Eclairé par les cierges... La beauté, quoi !
Et tu sais, il paraît qu'il vient assez souvent
prier... — Mais tu crois que c'est... — Bien
sûr ! Mon ami me l'a dit. Il s'est agenouillé
juste à côté de lui et ils se sont regardés... »

Depuis, le vieil écrivain brûle d'entrer dans
l'église et de s'agenouiller à côté de « la merveille », devant la Vierge gothique de marbre
éclairée par la flamme d'or des cierges. « Je
suis trop connu ! » Il peste contre sa célébrité
qui l'empêche de prier à côté d'un adolescent
en lui pressant doucement le coude. Il n'y
aurait rien de mal à ça. N'a-t-il pas, après tout,
fait ses études dans un séminaire ? Mais si !
Il a même, à dix-sept ans, publié une plaquette
de vers, brûlants de mysticisme suspect. Le
supérieur, auquel il avait soumis l'œuvre, la
lui avait rendue en poussant un soupir. Ensuite,
il lui avait posé la main sur l'épaule. « Mon cher
petit, vous avez un talent qui m'effraie. Je ne
sais pas qui vous a soufflé ces vers, mais je
prierai pour qu'ils vous aient été inspirés par
un amour qui doit être toute lumière... » Il
s'agenouillerait près de l'adolescent. En place
de prières, pense-t-il, il réciterait « Une saison

en enfer » qu'il connaît par cœur. Sourire. Il
se souvient, la semaine dernière, d'avoir ouvert
son « Rimbaud » et de s'être livré à un jeu.
« Vraiment, les jeunes écrivains d'aujourd'hui
sont des poules mouillées à côté des impies que
nous étions à leur âge. Pourquoi ne m'atta-
quent-ils pas ? » Et il lisait la « Saison »
comme si le poème eût été réécrit par un jeune
se moquant de l'illustre Pierre Montcel. « Jadis,
si je me souviens bien, ma vie était un meeting
où s'ouvraient tous les poings, où les discours
coulaient. Un soir, j'ai assis Staline sur mes
genoux. Et je l'ai trouvé amer. Et je l'ai adoré. »
Le vieil écrivain riait à ce pastiche qu'il inven-
tait en lisant à voix haute. Et qu'attendent-ils,
les jeunes poètes d'aujourd'hui, pour célébrer
à grands lyrismes toutes les hideurs du siècle.
Pourquoi ne chantent-ils pas les tours phalli-
ques qui jaillissent hors de la braguette du
vieux Paris ? A leur âge, j'eusse écrit : « Et
voici que le Vieux se remet à bander vers le
ciel vide ! Sexes dressés ! Poils du pubis automobile ! Autos-morpions agrippées à la fourrure du sexe bétonné et armé des aciers d'un
désir capitaliste ! Montparnasse enfin je te
salue bandeur ! Je te proclame, ciel assis sur
ces tours afin de te faire mettre ! »
Dans l'église déserte des Frari, un autre jeune
homme priait, agenouillé devant la Vierge envo-

lée du Titien et la tête enfouie dans la coquille ouverte de ses mains. Ses cheveux étaient de bronze doré et ordonnés en boucles qu'on eût dit ciselées. Il a pensé : « Pourvu que son profil soit beau quand il le dégagera de l'écrin de ses mains ! » Clara demanda : « Avez-vous l'intention de rester une éternité devant ce tableau ? » Une *éternité*. Sa vulgarité n'aurait su mieux dire. « Pourquoi pas ? » répondit-il. Enfin, le jeune homme releva la tête, se signa et sortit. Géant et magnifique. Il y a près de cinquante ans de cela et il revoit l'apparition. Hélas, Clara était présente et commençait à mettre en cage les goûts de son mari pour certaines contemplations de l'Eternel.

La morte n'aimait pas Rimbaud. Elle soupçonnait Montcel de se livrer, la nuit, à des entretiens secrets avec le jeune dieu. Elle était jalouse des vivants et des morts. « Pourquoi l'ai-je épousée ? » se demandait Montcel « à pensée basse » — comme on dit à voix basse — de peur qu'elle n'entendit, par on ne sait quel prodige, les mots qui butaient contre ses lèvres scellées. Un mois avant qu'elle ne meure, il

avait eu une sérieuse crise d'amnésie (maintenant, il n'en a plus) ; cette fois, en revenant du
théâtre. Dans la salle de bains, au lieu de passer
son pyjama, il enfila un déshabillé de la Dame,
farda ses lèvres, rosit ses joues d'une poudre
épaisse — et entra dans la chambre, l'œil vide.
Elle eut peur.

— Bonsoir, dit-il. Je suis Clara. Qui êtes-
vous ?

— Tu... tu es... bégaya-t-elle.

— Etes-vous Pierre Montcel ?

— Tu... tu...

Il s'assit sur le coin du lit.

— Je suis Clara, répétait-il. Je suis Clara.
Je suis certain que je ne suis pas moi. Je suis
Clara.

Elle se leva et alla chercher du coton. Sans
dire un mot, elle le démaquilla et, ensuite, lui
ôta le déshabillé et l'aida à passer son pyjama.
Il se laissait faire. Enfin, elle lui administra
trois somnifères qu'il avala avec docilité. Un
quart d'heure plus tard, il dormait. Elle
contemple les cotons rouges et roses du déma-
quillage qu'elle a posés sur la table de nuit.
Elle scrute le beau visage endormi du fou. Le
lendemain, il ne se souvenait de rien et parla
de la pièce qu'ils avaient vue la veille. Une
semaine plus tard, elle voulut lui rappeler
« cette séance ». Il écoute et il est ravi. Il

n'a pas oublié que, lorsqu'il était jeune, il lui est arrivé d'aller dans le monde, à des fêtes où brillaient les lustres. Il raconte : « Je mettais un smoking et traversais la foule des curieux — les manants — enveloppés d'ombre, pour entrer dans les salons où je croisais au milieu de solennels pingouins et de femmes aux épaules nues. Ce luxe ! Ce luxe ! Mais sais-tu ce que je faisais ? Au bout d'une heure ou deux, je m'éclipsais, rentrais vite chez moi changer de vêtements et revenais, habillé en prolo, me mêler cette fois aux curieux qui regardaient avidement les grands et les riches de ce monde entrer dans l'hôtel particulier. Je *me* regardais, tu comprends ? Je me haussais sur la pointe des pieds pour apercevoir qui dansait, les pingouins millionnaires et leurs belles salopes. Et je disais à mes voisins : " C'est dégueu-« lasse ! Regardez, ils jettent l'argent et nous on « se crève pour des 600 francs par mois ! " Je protestais, je semais l'indignation... » Il rit. « Ensuite, je filais de nouveau chez moi, remettais mon smoking et retraversais cette foule que j'avais « agitée » en espérant bien qu'elle allait m'injurier. » Clara est intéressée par cette confidence. Quant à moi, je suis ébloui par sa tendresse et sa méchanceté. Quoi que j'en écrive, je n'ai pas que du mépris à l'égard de cet homme.

— J'adore ta robe de chambre, biquet. C'est de la soie ?

— Oui.

— C'est de la soie anglaise ou italienne ?

— Anglaise.

— La soie italienne ne vaut rien.

Le vieil écrivain a exigé que le travesti se fardât à nouveau et remît sa perruque. Ainsi, on a greffé une tête de femme-lionne sur un magnifique corps de garçon aux muscles durs. « Si tu veux... » a dit l'autre. « Heureusement que j'avais gardé mes faux cils. Ça, c'est le plus délicat. »

— Tu n'as jamais d'ennuis avec la police ?

— Oh là là !... Ceux-là !... Je les comprends pas : tous pédés et tous à nous mener une de ces vies ! Ce sont tous des « Jacqueline » et ils nous détestent. Tu expliques ça comment, toi ?

Cette idée que les flics, dans la cervelle gondolée du travesti, sont tous des « Jacqueline » enchante la Montcel qui se garde bien de détromper son ami.

— Est-ce que tu es sûr qu'ils sont...

— Ah ben ça, alors, ah ben ça, oui ! Alors, biquet, mais d'où tu sors ? T'es naïf ou non ?

— Ça n'est pas parce qu'ils vont toujours par deux...

— Voilà ! C'est là que ça commence : d'abord ils sont toujours par couples.

— C'est vrai. Tu as raison.

— Ensuite, tu en as toujours un qui est le plus mignon des deux.

— C'est vrai.

— Mais oui, c'est vrai. Le préfet est au courant. Il le fait exprès. Si je te racontais tout ce que je sais...

— Et les CRS ?

— Oh là là, ceux-là, ils sont pires ! J'ai un ami qui m'a raconté qu'en 68 ils n'arrêtaient que les étudiants les plus beaux et qu'ensuite, dans les casernes, il s'est passé de drôles de choses. J'ai rien contre, évidemment, mais ce que je n'admets pas c'est qu'ils nous empêchent de travailler. A la fin, qu'est-ce qu'ils veulent ? Ils sont comme nous et ils nous poursuivent.

Elle raconte, à sa manière, les événements de Mai 68. Vaste guerre civile entre homosexuels casqués et éphèbes chevelus. Ça n'est plus la lutte des classes mais celle des folles. Tout cela est très juste et très beau. A preuve, après cette guerre, le gouvernement a construit des monuments en forme de sexe pour en perpétuer le souvenir. Qu'attend-il pour ériger un monument à la folle inconnue ?

La Morte n'avait aucune imagination et, vis après vis, elle avait verrouillé celle du vieil écrivain. Longtemps, au début de leur mariage, elle craignait qu'il n'enfourchât des rêves et qu'entraîné par ses ivresses métaphoriques il ne disparût dans des forêts de mots où il lui serait impossible de le capturer une nouvelle fois. Non pas qu'elle ne fût point épatée par cet élan qui le jetait dans le langage et l'écriture. Secrètement, elle était jalouse mais émerveillée de le voir foncer à coups de stylo dans des jungles de phrases à travers lesquelles il se frayait un passage. Mais si derrière lui se refermait la forêt ? Mais s'il lui échappait ?

— Tu écris comme on se drogue, lui disait-elle. Ou comme on se saoule. Tu es un ivrogne des images.

A *lui*, à Montcel, elle donnait des leçons de style ! Parce que, des coffres où était enfouie cette richesse, elle ne détenait pas les clefs. Alors, elle détourna ces flots charriant des pierreries afin qu'ils arrosassent des plaines sèches. Elle avait compris que Montcel était possédé par une puissance créatrice formidable et qui l'eût balayée si elle s'était avisée d'en barrer le cours. Au lieu de cela, mieux valait construire des barrages où s'accumuleraient des milliers de mètres cubes d'eau imbéciles. Avec du ciment politique, elle y parvint.

La dernière fois que je les vis ensemble, c'était rue de Seine. Un vieux couple de retraités, me sembla-t-il, était arrêté devant les vitrines du marchand d'estampes Paul Prouté. Ils parlaient, lui penchant sa haute taille vers elle. Quand ils reprirent leur marche, je les reconnus. Montcel et Clara. Le Poète blanchi et la Muse au visage triangulaire de vipère. Elle comprit que je les avais reconnus dans leur gloire et me jeta un regard bleu et sec qui me pesa : étais-je adorateur ou ennemi ? Il bavardait, penché à son oreille, et allait à petits pas. Ils se dirigèrent vers le quai Malaquais et la Seine. Il mesurait son allure à celle de sa Dame. On eût dit, derrière eux, que se déployait une traîne... Le crépuscule qui descendait sur le Louvre et les quais enveloppait de cendre et de rose les deux silhouettes qui allaient leur voyage et, quelque mauvaiseté que fût la mienne, l'allure lente de ce couple de vieillards, marchant dans un amour dont je connaissais les

exhibitions mais dont j'ignorais peut-être les
derniers secrets, ne laissait pas de me causer
un trouble où je me sentais glisser non sans
délices. Je me repris. Je ne voulus pas être
envoûté par des ombres. Je murmurai : « Canailles ! Voilà les deux vieilles canailles qui
déambulent comme deux petits-bourgeois en
retraite. » J'écrasai la traîne comme pour les
retenir ou les faire trébucher mais l'invisible
tissu se déchira que je clouai au sol. De vrai,
je n'étais plus ce jeune homme que Montcel
avait reçu dans son bureau. Au mur, un portrait de Maurice Thorez et un de Staline. Je
venais l'interviewer après la publication d'un
de ses recueils de poèmes. Sa haute taille droite
m'impressionna et son port de tête, altier et
dur. Au bout de trois phrases, c'est de Clara
qu'il me parlait. C'est d'elle qu'il m'invitait à
écrire. C'est grâce à elle, m'expliquait-il, qu'il
avait capté des hasards. C'est elle qui lui avait
fait remarquer la coïncidence entre le ton de
certains poèmes et certaines phrases d'Hoffmann. « Vous avez évidemment lu les « Fan-
taisies dans la manière de Callot ». Il y en
avait une qui m'avait toujours... questionné.
Ombra adorata où rien n'a jamais été dit de
plus... je ne dirai pas troublant, je dirai de
plus voilé... sur la voix d'une femme. Alors,
relisez ce que je dis de Clara : « Lumière double

de ta voix, etc. » Hoffmann, lui, — et je l'ignorais — écrit : « Dans la nuit ta voix se partage, etc. » J'en parlai à Clara et nous avons relu ensemble « Les Elixirs du diable ». Là, problème de sosie, comme vous savez. Mais ce que je dis de Clara, le sosie, chez Hoffmann, le dit de Médard. Donc, Clara et moi... » Etc.

Bouche bée, j'écoutais le génie monologuer et me parler de hasards objectifs. En sortant, j'eus envie de brosser mes habits comme s'ils eussent été criblés de confetti ou des charbons minuscules de milliers d'étincelles. Qu'en avais-je à faire, moi, de Clara ? Pourquoi voulait-il que le monde entier fût amoureux de cette peste ? Pourquoi célébrer comme une déesse ce bout de femme racorni par la haine? Cinquante, cent fois, au cours de son monologue, il avait répété le nom de Clara comme s'il était terrorisé à la pensée que je pusse écrire un article sans parler de sa Déesse. Il est vrai — je l'appris plus tard — qu'elle épluchait toutes les interviews qu'il donnait, tous propos de lui rapportés par les journaux. N'y était-elle point citée et il se voyait aussitôt accablé d'injures. Quant au journaliste coupable du crime, il était rayé du monde. S'agissait-il d'un écrivain ou d'un critique en renom, elle exigeait alors que Montcel prît n'importe quel prétexte pour l'exécuter en quelques phrases. Il obéissait.

Pour traverser le quai, il lui prit le bras. Un mois après, j'appris qu'elle était morte. Je dois avouer que je crois aux mots ; je crois que les mots sont gluants de sang et qu'on ne les détache de soi qu'en arrachant toujours un peu de chair. Pour cela je crus, quand j'appris la mort de la Dame, que Montcel allait sombrer dans un désespoir sans fond ou se murer dans un effrayant silence. Trois mois avant que sa Dame — *ombra adorata* — ne disparût aux Enfers, n'avait-il pas écrit :

Je ne veux que mourir si j'oubliais le rêve
Qui parmi nos regards m'a parlé de la vie...

... et autres balivernes sentimentales que je prenais tout de même au sérieux. *Oui,* je croyais que Montcel — Clara morte ! — s'étiolerait de noir chagrin, tomberait à genoux en position d'adorant foudroyé et ne se relèverait que pour bâtir un mausolée de sanglots et de marbre en l'honneur de la Déesse. Que de personnalités et que de courtisans aux obsèques ! Le vieil écrivain serrait des mains avec une dignité qui fit l'admiration de tous. Il eut une brève amnésie — la dernière — qui dura trois secondes et crut qu'on célébrait ses propres funérailles. Il était Clara. Il était morte. Elle serrait les mains. C'était lui qui était allongé dans le cercueil capitonné de satin blanc et aux poignées de bronze. C'était lui qu'il avait veillé l'avant-dernière nuit précédant les obsèques. Il est seul. La chambre est une jungle de fleurs. Elle gît, lèvres serrées, lèvres avalées. Un trait gris-noir. C'est moi. Je suis un bien frêle cadavre. Je ne me serais pas cru si petit. Je suis morte. Bonne nuit, Pierre. Revenu au réel, une bouffée de joie lui noya le cœur, et, trois jours après, son domestique l'entendit chantonner dans la salle de bains. Quinze jours plus tard, il renouvelait toute sa garde-robe. Un mois plus tard, il puisait quelques millions dans le coffre de son éditeur. Bientôt, il relâcha les liens qui l'unissaient à des amis communs à lui et à la Morte. Enfin, il alla dîner en ville — veuf depuis cinq semaines — accompagné d'un ravissant jeune homme et caqueta tout le long du repas. Pour passer au salon, après le dîner, il prit le bras de l'adolescent.

On attendit qu'il publiât un recueil de poèmes ; un « Tombeau pour Clara ». On attend encore. On crut que la tombe de la Morte serait toujours ensevelie sous des avalanches de fleurs. L'herbe pousse et le gardien du cimetière grommelle et n'en croit pas ses yeux. Il y a des gens, pense-t-il, qui n'ont pas de cœur et, un jour, comme je rôdais autour de la tombe

j'ai senti posé sur moi son regard réprobateur.
Il a dû croire que j'étais de la famille.

Deux mois plus tard, un jeune gandin offrit
à Montcel un chat persan aux yeux bleus et à
longs poils blancs. « Je te l'offre parce qu'il te
ressemble... » Clara détestait les chats ; le vieil
écrivain accepta le cadeau et troussa sur les
chats quelques belles phrases que le jeune
homme prit soin de noter en cachette.

— Comment s'appelle-t-il ?

— Il n'a pas encore de nom. C'est à toi de
le baptiser.

— C'est que je n'ai pas d'idées, dit Montcel.

— Marx ! suggéra le jeune homme.

— Ça sonne un peu dur.

— Eh bien, que dirais-tu de Lénine ? C'est
doux, c'est féminin, ça rime avec câline, cape-
line, opaline, divine... Ou Staline, peut-être.
C'est très joli, Staline.

— Ttt... Les chats sont-ils marxistes ?

— Je crois, dit le jeune homme.

— Celui-ci aurait plutôt l'air d'être un agent
des monopoles et du grand capital.

— Il est absolument marxiste ! Il ne dit pas
« Miaou » mais « Maaarx... Maaarx... » C'est le
chat à la souris entre les dents.

Le vieil écrivain riait aux larmes. Il fut décidé

que le chat s'appellerait Tito et qu'on lui achè-
terait des boucles d'oreilles en forme d'étoiles
rouges.

Je n'aperçois que le casque d'argent de sa
chevelure qui flotte au ras des voitures station-
nées le long du trottoir. Jusqu'à quand, jusqu'à
quelle aube va-t-il rôder ainsi ? Ce vieillard
m'épuise ; à le suivre, mes jambes s'alourdis-
sent. Où puise-t-il pareille énergie ? Décidément, n'importe quelle passion rend ces vieux
animaux increvables. A le suivre encore, j'ai
des moments de honte. Ne suis-je pas un revenant, moi aussi, qui rampe derrière un autre
fantôme ? Qui se soucie aujourd'hui de nos
passés ? Qu'importe si le vieil écrivain est tel
qu'en lui-même enfin son inversion le change ?
Elle est dans toutes les mémoires l'histoire de
cet attrapeur de rats qui, un jour, entra dans la
ville allemande de Hameln. Comme on avait
refusé de lui payer son dû, après qu'il eut
débarrassé la cité de ses rongeurs, il tira une
flûte de sa besace et alla par les rues formant
des trilles merveilleuses. Tous les enfants
déboulèrent de leur maison et marchèrent à sa

suite. Il sortit de la ville et, toujours jouant de
son pipeau, entra dans le fleuve. Les enfants l'y
suivirent et s'y noyèrent. L'histoire ne dit pas,
d'une part, que cet attrapeur de rats ressemblait comme un frère au vieil écrivain et, d'autre part, que, s'il entra dans le fleuve, il en
ressortit sur l'autre berge en minaudant et en
riant comme une folle — ce qui ne laissa pas
d'étonner les paysans. Mais, derrière lui, que
de noyés ! C'est qu'ils ne savaient pas, eux,
jouer de la flûte.

Je dis que j'ai des moments de honte et que
cette filature à laquelle je me livre a quelque
chose de morbide. De temps en temps, j'alerte
mon sens de l'humour car ne suis-je point
ridicule, *aussi,* en suivant à la trace le vieillard
qui se faufile à travers les halliers des voitures
et presse le pas dans les clairières éclairées au
néon ? Car enfin, en d'autres années, lorsque
son poing était fermé et sa cravate rouge, j'ai
combattu aussi, en flanc garde, pour le même
combat. Je me souviens d'un journaliste communiste et qui fumait la pipe, ce qui donnait à
ses propos et à ses mines la pesanteur souhai-
table du militant. C'était aux alentours des
années 50 et j'étais un très jeune homme. Dans
mes veines coulait un sang riche qui charriait
des lectures, des prétentions à un langage philo-
sophique, des tics de pensée et une envie per-

manente de sauter les filles. Et c'est ça, la jeunesse : des générosités souvent très bavardes, assez comédiennes, et le désir impétueux et fasciste de sauter des gonzesses à la pelle. Docteur Jekyll et Mister Hyde, quel jeune étalon ne l'a pas été ? On philosophe, on politicaille, on fume, on a des indignations qui vous hérissent de gestes désordonnés, on refait le monde à coups de gueule et de raisonnements tranchants — et, par en dessous, il y a ce sang qui bout et vous jette sur les femelles. Méfions-nous de la jeunesse : elle joue partie de ses indignations, elle prend la pose avant ses élans et il y a du farceur chez l'adolescent qui milite, à gauche ou à droite. Il y a, à tous les sens du mot, du *jeu*. Il y a, en outre, de la petite putain. Je *savais* que j'étais jeune et cela — cet état — je l'utilisais, presque d'instinct, comme un chantage. Dès que je parlais ou discutais avec un « vieux », je ne manquais pas de battre le tam-tam « jeunesse » afin de l'intimider et de l'obliger à mettre sur le compte de mes fougues les faiblesses et les à-peu-près de mes raisonnements. Déjà, je flairais qu'en nos temps la jeunesse était une arme qui faisait « se poser des questions » aux aînés. L'époque était révolue où un adulte pouvait traiter un gamin de « petit morveux » en haussant les épaules à ouïr ses divagations. Désormais, l'adulte tremblait car il se demandait si les délires de l'adolescent n'étaient point ceux d'une nouvelle Pythie. Aujourd'hui, la débâcle est complète et l'enfant hurle que la neige est d'encre jusqu'à ce que le père doute de sa blancheur. N'est-ce pas « un jeune » qui la déclare noire ?

— Qu'est-ce que c'est, ça ?

— C'est une vessie, mon petit.

— Non, c'est une lanterne, vieux con.

— Ah oui... Tu as peut-être raison. Il se peut que cela soit en effet une lanterne.

Si j'avais vingt ans, cette déroute à la fin m'écœurerait. Je m'en amuserais comme un vrai diable, certes, mais s'amuser dans le mépris finirait par décourager mes sarcasmes. Le sadique se lasse de rouer de coups le masochiste. Ça n'est plus du jeu et du plaisir ; c'est de la boucherie. Mettre à genoux des géants ne manque pas de provoquer quelque satisfaction ; mais contempler des culs-de-jatte prosternés, à quoi bon ? Quand la jeunesse hongroise déboulonna la gigantesque statue de Staline — je vois encore l'énorme tête de pierre de Budapest comme le chef du Baptiste sur un plateau — à la bonne heure ! Guillotiner Staline, quelle fête ! Mais quelle dérision de décapiter un père notaire ou professeur ! Point n'est besoin de la hache du bourreau, une gifle y suffit.

Et si, gamin attardé, je giflais le vieil écrivain ? Sa tête roulerait dans le ruisseau. Demain, il ne sera même pas nécessaire de lui frapper la joue d'un revers de main. Un souffle et la tête sera décollée. O surprise, elle s'envolera et disparaîtra dans le ciel de Paris aux applaudissements d'une foule fardée.

Donc, en ce temps-là, le journaliste communiste têteur de pipe et moi-même eûmes un soir une très longue discussion. C'était, pour moi, un honneur. Le journaleux, en effet, s'était fait laborieusement la tête de Staline. Regard pesant une tonne, pipe méditante, silhouette massive, tutoiement protecteur et fraternel — et la parole lente et des silences gonflés d'Histoire comme il seyait à un militant. Et : « Je ne cherche pas à te convaincre. Je veux seulement t'expliquer. » Et : « Je ne dis pas que tu es de mauvaise foi, je dis que tu te trompes. » Et : « Je vais te prouver, je vais te démontrer, si tu m'écoutes, qu'objectivement tu as tort. » Et : « Non, ce que Staline veut dire, là, est très précis. Staline dit :... » Et : « Je ne te demande pas d'adhérer au Parti : je veux seulement que tu comprennes. Ensuite, si tu adhères, bravo, pourquoi pas ! » Je caracolais autour de ce bloc. Je disais : « Oui, bien sûr... » ; « D'accord, je suis d'accord mais... » ; mais plus je me débattais et plus l'autre jetait sur mon agitation le réseau d'acier de ses phrases simples. Bref, j'étais le non-croyant en proie aux diables (aux anges !) de la conversion. « Agenouillez-vous ! » dit Pascal. « Pourquoi ne pas t'inscrire au Parti ? » me suggérait en biaisant le militant. Je parlai de Tito qui n'était pas encore devenu un chat. « Tito est un agent de l'impérialisme ! — Un agent subjectif ou objectif ? — Les deux. Staline a très bien expliqué que le titisme... » A 3 heures du matin, je quittai le camarade. Il avait fumé trois pipes et moi deux paquets de cigarettes. Toute la différence, à l'époque, entre un membre du Parti et un jeune feu follet de gauche était là. Vers 2 heures du matin, il m'avait demandé si je souhaitais rencontrer Montcel. « Pourquoi ? — Parce que tu crois qu'il est impossible d'être à la fois un artiste et un militant. Montcel, j'en suis sûr, t'expliquera que c'est exactement le contraire. Le véritable artiste ne peut pas ne pas être un combattant du socialisme... » A travers mille et une contorsions, je refusai de rencontrer Montcel ; j'avais peur d'être englouti sous un déluge de mots et de me retrouver, sur le trottoir, carte du Parti en poche.

— Et Clara ? Pourquoi écrit-il tant de poèmes à la gloire de Clara ?

— Mais pourquoi pas ? Tu crois qu'adhérer au Parti et suivre l'enseignement de Staline implique qu'on n'aime pas sa femme ? C'est le contraire. Dans un couple de militants, tout est serein. L'amour n'y est pas une aliénation ou une affaire mais un don. Et Montcel est un grand poète qui, à travers Clara, *donne* à toutes les femmes. C'est ça qu'il faut comprendre. Nous n'avons pas de couteau entre les dents, tu sais, sinon nous n'embrasserions pas nos femmes.

Dans la rue, quand nous sortîmes, il pleuvait. Je marchais à côté de Staline. De vrai, nous étions quelques-uns à jouer les coquettes et à flirter avec le sombre Parti ; mais nous redoutions de nous laisser bousculer sur le lit et de subir ses étreintes bien que Montcel fût là pour nous prouver que celles-ci arrachaient des cris de plaisir à une âme comme la sienne. En somme, il était préposé, derrière la cloison, aux gémissements qui nous engageraient à entrer dans la chambre. Ce rôle, d'ailleurs, ne lui suffisait pas. Orphée, il se voulait aussi scribe de Staline-pharaon. Une immense culture, un talent incomparable, la plus riche des mémoires, une sinueuse virtuosité à discourir, tout cela était jeté dans le plateau de la balance quand il parlait politique, si bien que l'autre — le non-communiste — était pris de doute.

Puisque Montcel réussissait à lier en gerbe culture et stalinisme, à marier Maurice Scève et Fadeev, Charles d'Orléans et Maïakovski, Courbet et Fougeron, Balzac et Gorki, puisque lui, Montcel, était la vivante et géniale preuve qu'on pouvait être à la fois l'héritier d'une culture élitiste et l'annonciateur d'une autre culture en laquelle le passé s'illuminerait pour tous et se répandrait sur tous, pourquoi se boucher les oreilles à ses chants alternés de sirène et de mangeur d'hommes ? Il fallait avoir de bons yeux lorsqu'il chantait, allongé sur le rocher du Parti, pour apercevoir la part écailleuse de son corps immergée sous le flot. Il fallait avoir l'oreille fine pour deviner ce que sa mélodie contenait de menace. Dans ce cas-là, le plus sage consistait à se boucher les tympans avec des boulettes de cire et à s'attacher au mât du vaisseau. C'était une recette mais, malgré ces précautions, mes compagnons d'équipage des années 50 m'ont vu me débattre dans mes liens. Aujourd'hui, d'autres compagnons qui, eux, sautèrent à l'eau pour rejoindre l'Enchanteur, écrivent des livres où ils se demandent comment ils purent planter leur tente sur ces Scyllas et ces Charybdes. Certains expliquent, d'autres s'accusent, d'autres encore ne comprennent pas. Montcel se tait. Celui qui serait l'homme dont la gorge délivrerait le cri le plus déchiré et le plus « intéressant », celui-là clôt ses lèvres ou ne les arrondit que pour pondre, dans les salons, les œufs précieux de sa louche séduction. Sans jamais en briser la coque.

Il s'est arrêté une fois de plus. Cette fois devant la vitrine d'un marchand de vêtements pour hommes. Le nom de la boutique, comme une œillade énorme et ronde d'ironie, *Don Juan*. Le vieil écrivain, à 1 h 30 du matin — à 1 h 44, pour être très précis ! — absorbé par la contemplation de pantalons et de vestes, sur un trottoir de Saint-Germain-des-Prés, devant la boutique *Don Juan !* Demain, si je dîne en ville, je raconterai que j'ai vu, de mes yeux vu, ÇA !

— Et ça vous étonne ?

— Oui.

— Mais qu'avez-vous donc à être étonné ?

— Excusez-moi mais je trouve que c'est étonnant.

— Enfin... Pourquoi ? Tout le monde sait que Montcel est homosexuel. Ça n'intéresse plus personne.

Voilà. Cymbales et rideau. C'est moi qui suis un maniaque. O futilité de Paris et de sa bourgeoisie enculturée ! Au début, après la mort de la Dame, les bouches s'ouvraient et les yeux ; les voix se perchaient ou se baissaient pour annoncer la nouvelle et la saler de quelques détails. Aujourd'hui, pffft, que le vieil homme « en soit » est un potin digne d'un dîner de province. D'où je sors ? De mon village perdu ?

— Vous ne saviez pas qu'il en était ? C'est son droit, n'est-ce pas ?

Il y aura, à ce dîner, un vieux collectionneur de livres et d'estampes, fort cultivé et qui a vécu en dandy les années 25. Il aura sur moi la supériorité de ceux qui ont des souvenirs parisiens et cosmopolites de l'entre-deux-guerres ; et cette indulgence lasse des hommes qui ont vécu des époques faciles et daignent parfois, à la fin d'un repas, évoquer quelques souvenirs dont ils dosent les épanchements, parmi leurs relations, afin de n'être pas qualifiés de gâteux. Il se tournera vers moi.

— Montcel ? Oh, mon Dieu, je l'ai bien connu... Hein ? Oui... Il était très beau, d'une beauté catégorique. J'ai bien ri, plus tard, quand je l'ai vu se fourvoyer dans la politique. En vérité, vous savez, ce fut un dandysme de plus ; il fit cela pour épater les bourgeois et puis, peu à peu, se retrouva coincé. D'ailleurs, ça lui a plu d'être coincé car, au fond, il n'avait plus grand-chose à dire et a senti qu'il entrait dans une période d'impuissance. Alors, au lieu de l'avouer, il s'est barbouillé de rouge.

Quelqu'un demandera :

— Et il... en était à cette époque ?

— Il était... de tout. C'est-à-dire que nous le soupçonnions de n'aimer que les garçons et, comme il se savait épié, il avait beaucoup d'aventures féminines. En 24 ou 25, j'ai oublié, il vivait avec une Américaine très riche. L'aventure a duré trois ou quatre mois. Il paraît — c'est elle qui l'a raconté après leur rupture — qu'il se livrait pour l'aimer à une curieuse mise en scène. Il avait acheté un prie-Dieu qu'il avait installé dans sa chambre et demandait à son amie de se déguiser en nonne et de s'agenouiller dessus. Ensuite, il sortait de la chambre et l'Américaine se mettait docilement à prier. Soudain, complètement hagard, en criant : « C'est la Révolution ! On pille, on viole, on tue ! », il se jetait sur la fille et la possédait sur le prie-Dieu.

Exclamations. « C'est merveilleux ! » Le vieux collectionneur savoure son triomphe et accepte une goutte de marc.

— C'est une histoire *vraie*, je vous le jure. Evidemment, au bout de trois mois, l'Américaine a commencé à être fatiguée par cette révolution permanente et a fait ses valises. (Un temps.) Curieux personnage, Montcel...

Une jeune femme demandera :

— Et vous croyez qu'avec Clara, pendant quarante ans, il s'est écrié : « C'est la Révolution ! On pille, on viole, on tue ! » ? Oh ! J'imagine Clara déguisée en bonne sœur ! Oh !

Rires.

— En somme, dira un psychologue, tout s'explique. Il s'est engagé dans la politique pour devenir moine et Clara était sa nonne.

— Il y a de ça... dira le vieux collectionneur.

Clara avait eu connaissance de cette histoire. Jamais elle ne suggéra à Montcel de se livrer à une quelconque mise en scène érotique. Jamais il n'osa lui en proposer une. Le mariage avait été, pour elle, le moyen de l'arracher brutalement à son passé et sa volonté de le soumettre ne passait pas par ces chemins-là. Elle se méfiait des comparaisons ou des anciennes concurrences et avait d'autres méthodes et d'autres idées. Pourtant, il lui arriva, certains soirs — comme le vieil écrivain après avoir lu quelques pages avant de s'endormir l'embrassait

chastement et éteignait la lumière — de mur-
murer : « On pille, on viole, on tue !... Bonne
nuit... » et de rester là, immobile dans le noir
et adossée aux oreillers. En 1932, elle décou-
vrit par hasard un journal intime qu'il avait
tenu durant toute l'année 1923. Format cahier
d'écolier. Sur la première page, un titre : « Délires en forme de poire. » Elle lut, remit le
cahier là où elle l'avait découvert, dans une
malle d'osier remplie de coupures de journaux ;
et ne souffla mot. Elle avait lu avidement. Elle
pensait : « Je le tiens... Maintenant je le tiens
encore plus... » Il racontait notamment, dans ce
journal, qu'il avait éprouvé « une passion cosaque pour un cycliste aux rayons d'or ». Il
donnait des détails sur leur rencontre. Le jeune
homme était alsacien, s'appelait Fredrik et
avait remporté plusieurs courses d'un niveau
modeste. Folle de curiosité, Clara, voulant tout
savoir au sujet de ce Fredrik, se débrouilla
pour consulter des journaux de l'époque. Oui,
le jeune homme avait bel et bien existé. Après
avoir posément réfléchi, l'idée lui vint d'envoyer à Montcel des lettres, rédigées d'une écriture maladroite et signées Fredrik où celui-ci
— sans donner d'adresse évidemment — rappe-
lait à Montcel leurs anciennes amours et l'avi-
sait de son intention de le revoir. Cinq lettres
échelonnées sur deux mois au cours desquels

elle surveilla les réactions de Montcel lorsque le courrier lui était apporté. Au fil des semaines, elle le vit se décomposer de frousse.

— Tu es bizarre, depuis quelque temps.

— Mais non, mais non...

— Tu es sûr que tu n'es pas malade ?

— Non... Je me porte très bien.

Il s'effritait. Il attendait le courrier. Il sursautait à chaque coup de sonnette. Enfin, elle arrêta le supplice. Elle savait, sans aucun doute possible, qu'une « passion cosaque » pour le cycliste avait secoué son rossignol. C'était son bonheur d'arachnide d'avoir tissé autour de Montcel une toile de secrets par elle connus et où à chaque instant il pourrait se prendre, si elle en décidait, et râler sa honte. Alors, sur la toile élastique, elle s'avancerait, bulbeuse et pleine de pattes, pour le dévorer après avoir contemplé son agonie.

La Mort a déchiré la toile. Il est vivant et toujours planté devant la vitrine de *Don Juan*. Toujours à faire mine d'admirer vestes et pantalons mais, comme tous ces chasseurs de la nuit, il a des yeux sur les tempes et a repéré,

là-bas, à une quarantaine de mètres, deux garçons qui tapinent devant la librairie où l'on
vend des livres orientalistes. L'un est grand.
Des jambes interminables et une petite tête
blonde perchée tout là-haut. Appuyé au mur,
il ne bouge pas. L'autre, au contraire, râblé et
humilié par sa petite taille, se tortille comme
si on lui avait glissé un boisseau de puces entre
col et chemise. Il bat des mains, pirouette sur
un pied, rit gorge renversée et — en ce moment — saute à cloche-pied vers le grand blond
toujours immobile. Le vieil écrivain enrage. Ces
imbéciles devraient se séparer ! Ces imbéciles
devraient savoir qu'on n'aborde jamais deux
garçons mais un seul ! Pourquoi le grand tolè-
re-t-il les pitreries indécentes du nabot ? Non
point qu'il soit irrité, le vieil écrivain, par les
dégaines féminines de ses amis, mais encore
faut-il qu'elles ne soient pas de pure exhibition.
La Morte ne mettait jamais les pieds à Saint-
Germain-des-Prés. Elle avait rayé ce territoire
de la carte de Paris car y vivaient ou y avaient
vécu des intellectuels hostiles à son culte. De
ces lieux maudits s'étaient envolés des articles
sévères ou ironiques à l'égard de Montcel et de
Clara. Du coup, elle avait rêvé de jours terribles
où ce lieu serait détruit. Sur les ruines, on jetterait du sel. Au mot de *Flore* elle entrait en
fureur. « Vous fréquentez ce quartier rempli

d'ordures fachistes ? » Le malheureux inter-
pellé bafouillait. Elle disait « fachiste », à la
mode d'avant guerre.

Depuis qu'elle roupille à vingt pieds sous
terre, ce quartier est devenu celui que préfère
le vieil écrivain.

Il a progressé de quelques mètres et s'est
planté devant la boutique *la Pochade* où l'on
vend des lithographies modernes et des bro-
chures d'art.

Il passe devant le *drugstore.* Va-t-il descen-
dre dans le labyrinthe de ses lumières et de ses
vitrines pour y délivrer quelques éphèbes prisonniers du Minotaure capitaliste ? Non. Trop
de néons qui ravagent les traits. Il n'aime pas
son visage de chasse et de grande fatigue dans
les miroirs de cette caverne.

Cap sur le carrefour Croix-Rouge.

Rue du Four, entre la boutique *Andrea Pfis-
ter* et la librairie de l'*Apostolat des Editions*,
il y a de l'ombre aimée et le trottoir est *bon.*
Hélas, rien qu'un Martiniquais à la peau
épaisse, cette nuit, et un travelo à voix gron-
dante.

Repli vers la rue du Sabot. « Mais où sont-
ils passés ? » se demande Montcel.

Il chasse en décrivant des cercles, comme
les loups. Sur la neige mon traîneau sans clo-
chettes glisse derrière lui.

Oh, certes, il rôde aussi du côté de Montparnasse mais Saint-Germain-des-Prés est un bien meilleur terrain. Beaucoup plus giboyeux. C'est la cuvette au fond de laquelle tombent les plus intéressants spécimens. « Si Clara me voyait...» Mais Clara ne le verra pas. Elle ne sera pas dans le salon quand il ouvrira la porte et il n'hésitera pas à s'asseoir sur le divan près de la table basse sur laquelle est posé un cadre qui sertit d'argent une photo de la Morte.

— Dis, mon biquet, il faut que je m'en aille. Il est 3 heures.

— Tu m'avais promis de rester toute la nuit.

— Ah non, non... Ce n'était pas convenu. Il n'est que 3 heures et je peux encore travailler.

— Reste...

— Je veux bien, moi, mais il faut que tu me donnes une petite rallonge.

Le vieil écrivain paie sans sourciller et le travesti fourre l'argent dans son sac d'un geste d'une admirable discrétion professionnelle.

— Je suis contente de rester, tu sais, dit-il en faisant claquer la fermeture du sac.

Il caresse la crinière blanche de l'illustre mi-
cheton.

— Tu as de beaux cheveux.

— Synesios de Cyrène... dit Montcel.

— Pardon ?

— Mon cher, ignorerais-tu que Synesios de
Cyrène a écrit au IVe siècle un délicieux et
humoristique « Eloge de la calvitie » ?

(Il est fou, pense le travesti).

— Ben non, je savais pas.

— Je m'en doutais. Et sais-tu ce qui m'a
touché dans ce traité ? Je te l'apprendrai :
Synesios conseille aux amants de raser la tête
de leurs aimés quand ceux-ci partent à la
guerre. « Ainsi, dit-il, l'ennemi ne pourra pas
saisir ton amour aux cheveux et plonger le
glaive dans sa gorge renversée. »

— C'est marrant comme idée.

— Oui...

— J'aime pas la guerre. Dis, biquet, j'ai une
autre idée. J'ai faim.

— Avoir faim n'est pas une idée.

— Ce que t'es marrante, toi. Non, mon idée,
c'est qu'on devrait manger un petit morceau.
T'as pas envie, ma biquette, qu'on reprenne des
forces ? Et si on se faisait cuire des œufs ?

Oui ! Le vieil écrivain accepte d'enthou-
siasme. Il a faim. C'est d'accord. Oui ! Mais

c'est elle qui fera la cuisine. Les femmes, à la cuisine !

— Je veux bien. Tu as un tablier ?

— Laisse. Je vais t'habiller, moi.

Cette nuit est délicieuse. Le foie fragile de Clara détestait les œufs. Elle aimait les légumes verts, les pâtes préparées à l'italienne et les viandes grillées. Très cuites. Elle avait imposé ce régime au vieil écrivain. Elle lui interdisait de boire plus d'un demi-litre de vin par jour ce qui explique que, quelques jours après sa mort, Montcel siffla un verre de fine. Puis un autre. Une griserie l'envahit. Il caressa les flancs du verre rêveusement. C'était le petit verre non pas de celui qui est condamné à mort mais qui revient à la vraie vie. Anciens jours de Montparnasse où il buvait avec ses amis peintres et poètes. Souvenirs. Lors d'une nuit de Noël, ils se glissèrent dans l'église Saint-Sulpice et, au moment de l'élévation, firent « miaou, miaou... » Un beau scandale dont la presse parla d'une plume indignée. On buvait, on parlait beaucoup, on écrivait plus encore. On était résolu, Rimbaud et Lautréamont dans sa besace, à rendre le bourgeois fou en lui volant son langage et en brisant les mots qu'il avait dans la tête. On chantait « le dérèglement systématique de tous les sens », mais, de ces bourgeois dont on était les fils, on conservait en

héritage de solides santés. Foudres d'une guerre
dont la Poésie était la Pallas, on était des
combattants — il suffit de regarder des photos
d'époque — qui portaient cependant gilet, ves-
ton et chapeau. Les voici alignés en rang
d'oignons, face à l'objectif, sérieux comme des
notables, cravatés et chaussés de bottines, propres comme des supérieurs de collège religieux.
Ils ont cet âge indéterminé qu'avaient tous les
hommes, à partir de vingt ans, à la fin du
XIXᵉ siècle. Ce sont des poètes. Quand j'avais
seize ans, ma simplicité ne concevait pas qu'on
pût être poète et avoir une tête d'employé de
bureau, de commissaire de police ou de marchand en gros d'objets de piété. Un boxeur a
visage de boxeur. Un conquérant ressemble
à Bonaparte ou à Alexandre. Un poète a les
dix-sept ans et les yeux d'aigue-marine d'Arthur
Rimbaud. Le poème ou la guerre, pour moi,
étaient des royaumes peuplés de jeunes héros.
Au-delà de leurs frontières, rien. Des adultes et
l'ennui de leurs travaux afin que le monde
aille, dans les grisailles, son train de banalités
qui ne valaient pas d'être vécues et ne le
seraient jamais puisque la jeunesse était une
éternité. Mais ces vestons ! Ces cravates ! Ces
gilets ! Et même l'éclat d'une chaîne de montre
qui barre le ventre ! Moi, j'avais seize ans et je
voulais que le monde ressemblât à mes émo-

tions. Ou à son théâtre. Encore aujourd'hui, un militaire en civil ou un prêtre en pull-over à col roulé heurtent mon imagination.

Le vieil écrivain, je l'ai souvent repéré sur ces photos dont je parle, vieilles de près de cinquante ans. J'imagine le photographe, dos courbé, l'œil à l'objectif, la tête enfouie dans le manchon noir en accordéon, pouce et index appuyés sur la poire. Il ne dit pas « Souriez ! » car des poètes maudits, même s'ils arborent des faux cols, ne sauraient avoir le sourire facile. Pourtant, il y a d'autres photos où ils font les pitres dans un aéroplane de Luna-Park, peint sur une toile. Ils ont glissé leur tête dans les trous ronds découpés en place des visages et pilotent l'avion de foire. Temps heureux et imbéciles où jouer les collégiens frondeurs passait pour le comble de la révolte et du dandysme. Un jour allait venir où on ne crierait pas « miaou, miaou » dans les églises d'Espagne : on les brûlerait. Où on ne tirerait pas des coups de pistolet dans les glaces d'un café de Montparnasse mais des rafales de mitrailleuse sur des groupes d'otages. Où, déguisé en soldat allemand, on ne ferait pas une entrée remarquée chez la duchesse de V... car de véritables officiers de la Wehrmacht souperaient alors chez cette grande dame.

De cette bande de collégiens qui répandaient

du poil à gratter dans les salons et jetaient des boules puantes dans les églises tout en éditant leurs poèmes sur vélin pur fil et en exemplaires numérotés « aux dépens d'un amateur », Montcel était l'un des plus remarqués par ses violences péremptoires et ses insolences sans réplique. Sa beauté faisait le reste. De quoi était-elle faite, cette insolence ? Comme il arrive souvent, de déroutes enfouies, d'impuissances secrètes et d'un sentimentalisme inversé. On le vit bien lorsque Montcel se mit plus tard à chanter tout ce qu'il avait bafoué avec des trémolos dans la voix. On s'étonna de ce que l'incendiaire fût devenu pompier et le porte-torche porte-drapeau. Mais, soit ! Ce drapeau était rouge et donc couleur de sang.

Tout à l'heure, le travesti a ouvert les placards aux portes laquées de noir où le vieil écrivain range sa nouvelle garde-robe. (Naguère, Clara avait accroché des pompons aux clefs ouvragées. Ils ont été jetés à la poubelle.) Ce ne sont qu'écharpes couleur pastel, vestes « Mao » de velours bleu, imperméables blancs, gilets violets ou piquetés de fleurs, cravates aux

tons acides, robes de chambre phosphores-
centes. Un jour, le domestique a constaté que
les manteaux de fourrure ayant appartenu à
Madame avaient disparu. Monsieur les avait-ils
vendus, donnés ou jetés ? Reste, sur la table à
côté du divan, la photo dans le cadre d'argent.
Le regard est fixe, la bouche serrée, les mâchoi-
res scellées sur une volonté de pierre. Comme le
front, sur cette photo, est encadré de bandeaux,
on dirait d'une bourgeoise des années 90, si
bien qu'un garçon, le mois dernier, a demandé
au vieil écrivain :

— C'est la photo de ta mère ?

Montcel a hésité puis, en souriant, a
répondu :

— Oui.

Le garçon, alors, a considéré le portrait avec
une sorte de respect. Lui aussi, a-t-il dit, aime
beaucoup sa maman.

— Elle est morte ?

— Oui, a répondu le vieil écrivain.

— Elle te ressemblait. On a déjà dû te le
dire, non ?

Il y a deux ou trois ans, j'étais invité à la
générale d'un théâtre parisien et le vieil écrivain et la Morte étaient assis à trois rangs
devant moi, leurs fauteuils décalés par rapport
au mien de telle façon que je les apercevais de
trois quarts. Il est vrai que je fus alors stupéfié

par leur ressemblance. Je sais qu'on observe
fréquemment ce phénomène chez les vieillards
mais, entre Montcel et Clara, il s'agissait d'autre chose de plus étrange encore. Mêmes yeux
bleus et même peau claire, certes, mais là
n'était pas ce qui me fascinait. J'ai remarqué
combien la vie finit par faire se ressembler
deux êtres dont les traits, au départ, n'avaient
rien de commun. Laque après laque, vernis
après vernis, touche après touche, le temps
modèle et colore, peint et restaure, détruit et
patine et, enfin, signe les deux œuvres de la
même signature qu'il inscrit dans les regards.
Et c'est là, dans les regards, qu'était d'abord,
entre Montcel et Clara, la ressemblance qui
m'hallucinait. Même soleil froid, mêmes reflets
dans ces flaques bleues que parfois prenait le
gel. Je l'observai aussi : même panique. On
sentait que ces deux animaux avaient, au cours
des années, pris l'habitude d'être traqués et
assaillis ; de se défendre et d'attaquer ; d'or-
donner et d'obéir. Et il était une lueur qui ne
passait jamais dans leurs regards : celle de la
bonté. Au théâtre, je les guettais et ne pus me
défendre comme d'un sentiment d'admiration.
Malgré tout, malgré les secrets de leur vie
commune — le masochisme de l'un, le sadisme
de l'autre — malgré cela, en public, ils faisaient
face et la même lueur, dans leurs quatre yeux

bleus, défiait le monde. Pourtant, je ne m'y trompais pas et savais que, derrière ce défi, tremblait ce que j'ai appelé une panique. Tant il est vrai qu'à force d'inspirer la crainte et d'exiger des autres la servilité, on est enfin hanté par les sentiments mêmes qu'on inspire.

Lequel, de Montcel ou de Clara, avait ainsi déteint sur l'autre ? Lequel avait, au cours des ans, prêté à l'autre l'exacte couleur à la fois dure et panique de ses yeux ? Clara, je crois. C'est toujours la victime qui souvent inscrit sur ses traits les expressions du bourreau. Rarement l'inverse.

Le vieil écrivain, maintenant, traverse en boitant le boulevard, ose passer devant la terrasse du café des *Deux-Magots*. Il a chaud comme si la masse de jeunes consommateurs agglutinés dégageait un effluve qui l'enveloppe, le pousse aux reins et le suit comme un sillage. Bref coup d'œil à la vitrine de la librairie *la Hune* où aucun de ses livres n'est exposé en vitrine. Brève humeur. Puis haussement d'épaules *intérieur*. A quoi bon ces urticaires de vanité ? La gloire, il l'a. Souvent il a pensé avec fierté : « Je

marche dans ma gloire. » Il se souvenait alors
— lui qui est athée — que l'Eglise parle de la
gloire du Seigneur, que les corps ressuscités
seront « glorieux » et que le christianisme,
pourtant religion des humbles, n'a que ce mot
aristocratique et que cette promesse héroïque
à la bouche. Morts, nous serons glorieux. Il
l'était déjà, lui qui était vivant. Il s'était aussi
demandé — du temps où il chantait Staline et
où les choix politiques qu'il avait faits à grand
bruit l'auréolaient de force empruntée — s'il
n'était pas délicieux que sa gloire fût ombrée de
la crainte qu'il répandait et si ça n'était pas
finalement très agréable d'être à la fois André
Chénier et Robespierre. La Révolution sied au
génie. Ce breuvage sucré et amer répandait des
bonheurs dans son palais. Evidemment, la Révolution avait dépassé son stade lyrique, là-bas,
à l'Est, et, en France, elle n'était plus qu'une
adoration du tyran moustachu. Sous le regard
de Clara qui — comme je l'ai dit — savait
que « la politique » était son meilleur allié pour
passer aux chevilles du Poète des chaînes l'em-
pêchant de s'envoler, Montcel donnait dans des
lyrismes d'autant plus excessifs qu'était grise la
cause prétexte.

Staline dont le nom n'est pas pour une oreille
De patron qui vous dit ah laissez-moi en paix
Lorsqu'il entend gronder que ce jour est la
                                        [veille
Du jour de neuve gloire et de bon vin épais
De ce jour où Staline en sa démarche
                                        [d'homme
A la tête du peuple et de son seul Parti
Proclame qu'il est temps pour les pauvres en
                                        [somme
De risquer de la paix et du pain le pari.
Staline que j'écoute et que je sais la pierre
D'angle où nous construirons... etc.

Ainsi allait-il débitant des poèmes au mètre. Ainsi chantait-il sans trêve ni cesse comme s'il eût craint, s'arrêtant, de devenir aphone parce que l'eût envahi le doute. D'aucuns disaient : « Ça n'est pas possible ! Montcel n'est pas devenu pareil crétin et pareil mouton bêlant ! Non... » Et d'assurer qu'il ne faisait la bête que parce qu'il était un ange.

Mon Parti ! Mon Parti ! Mon rocher et mon
                                        [ancre,

Ma voile et mon étrave, mon seul espoir
                                        [certain,
Mon aile et mon combat ! Qu'elle est rouge
                                        [mon encre ?
Soit ! Mais qui me le dit fut valet de Pétain !

D'autres, plus subtils et pratiquant cette pensée dansante qui plaît dans les salons, ma foi,
trouvaient pareils vers « admirables ».

— Vous êtes sérieux ?

— Parfaitement, Montcel le fait exprès. Ces
vers sont ce que le surréalisme que l'on croyait
à l'agonie depuis la guerre a produit de plus
fort et de meilleur dans l'humour. Ces poèmes
sont des chefs-d'œuvre !

— Vous croyez ? demandait l'hôtesse ébran-
lée.

— Non, j'en suis sûr ! Comment voulez-vous
que Montcel n'écrive pas *exprès* pareilles
folies ! Comme il ne l'avouera jamais, c'est là,
n'est-ce pas, qu'il est sublime.

Des poèmes. Des drames. Des romans. Des
articles. Il n'arrêtait pas d'être « sublime ».

La Montcel descend la rue Saint-Benoît, tourne à droite dans la rue Guillaume-Apollinaire et, nouvelle station de son chemin, s'arrête devant la vitrine de la librairie du *Divan*. Derrière lui, il y a toujours le centurion. C'est moi. Une vitrine de la librairie est consacrée à son dernier livre sur la peinture. Il y a des photos de lui où on le voit en compagnie d'un vieux peintre. Il possède des dessins de celui-ci qui l'a « croqué », lui et Clara. Avec des dédicaces : « A Pierre et à Clara, leur ami. » Le vieil écrivain n'a pas oublié combien la Morte avait désiré que le peintre fît son portrait mais le rusé s'était défilé en plaisantant. « Tu es trop belle. Je ne peux pas. Et puis Pierre parle tout le temps de toi dans ses livres et moi je n'aime pas la concurrence. » Clara riait jaune. Elle était furieuse et, quand ils revinrent à Paris, elle ne disait pas un mot, dans le train. A Nice, Montcel s'était promené sur la plage, seul. Que de jeunesse triomphante allongée au soleil ! Que de corps de bronze doux caressés par les rayons amoureux ! Pourquoi sont-ils jeunes et pourquoi suis-je vieux ? Ma gloire, mon nom, mes livres en échange de leur jeunesse stupide ! Le ballon d'un volleyeur roule aux pieds de Faust. « Pardon... », dit l'athlète à la poitrine lisse en le ramassant. « Il n'y a pas de mal, ô Marguerite... », murmure le vieillard. Il portait des lunettes noires. A cette époque-là, il redoutait qu'on le reconnût mais son pas était lent quand il se décida à rentrer à l'hôtel où l'attendait Clara, son noir basset.

Le travelo mange ses œufs de bon appétit. On a débouché une bouteille de bordeaux. On fait dînette dans le salon, à 3 heures du matin.

— Pour les œufs, je suis la reine, pas vrai, biquet ?

— Tu es la reine.

— Et pour le reste aussi, hein, biquet ?

— Oui.

— Dis... est-ce que tu sais que tu as des yeux qui font un peu peur ? Des fois, bien sûr, pas toujours.

J'ai des yeux qui font peur au bruit de cet
[amour
Car on me dit parfois qu'il n'est pas de ce
[monde...

Il a écrit ces vers mais on a cru qu'il s'agissait de son amour pour Clara. Une fois posé le principe qu'il ne chantait toujours que sa Dame, il se permettait de tout écrire. Elle était l'inspiratrice-prétexte, la muse-alibi. Seuls quelques anciens amis de jeunesse souriaient en lisant ces poèmes qu'ils décryptaient et qui étaient pour eux des palimpsestes. Il suffisait de les élever à la lumière, tout contre la lampe des souvenirs et, aussitôt, le vrai texte apparaissait en net filigrane. Grâce à Dieu, jamais Clara ne soupçonna la vérité. Au cours des premières années, oui. Ensuite, la marée d'adoration était telle que son bruit la berçait sans qu'elle crût nécessaire d'ouvrir les yeux.

— Oui, tu as des yeux qui font un peu peur. Tu n'es pas toujours commode, hein ?

C'est qu'il avait pris l'habitude de durcir son regard et que ça n'est pas facile de l'amollir. Un regard, c'est comme un métal qui se forge et se trempe et qu'il est ensuite impossible de rendre ductile.

— Tu as un ami ? demande-t-il au mangeur d'œufs.

— Bien sûr...

— Que fait-il ?

— C'est moi qui travaille.

— Donc, en ce moment, ici, tu travailles ?

Fourchette dans une main, croûton de pain dans l'autre, le mangeur d'œufs a gentiment un geste d'évidence. Le vieil écrivain demande :

— Quel âge a-t-il ?

— Trente ans.

— Je suis *vieux*, hein ?

— Tu n'es pas jeune jeune mais tu es très bien.

Quarante ans de mensonges. Un grand sommeil menteur qui a duré près d'un demi-siècle et, lorsqu'il s'est éveillé, après la mort de Clara, ce fut avec un vieillard qu'il avait rendez-vous. Il s'est laissé pousser les cheveux. Il attendait un miracle et que ceux-ci allaient pousser noir...

Cheveux de neige, dents jaunes d'un vieux cheval, mains trop blanches et criblées de tavelures. Juste au moment où d'anciens mondes dont ses vingt ans souhaitaient l'écroulement explosent en anarchies douces à son cœur. C'est pas de chance. Heureusement, elle est morte — et il peut réchauffer une dernière fois ses vieux os au soleil des explosions.

Il chuchote je ne sais quoi à un jeune homme qui allait d'un pas lent, rue de l'Abbaye, et qui s'est arrêté ostensiblement devant la vitrine pourtant éteinte de l'antiquaire *Comoglio*. Cela, c'est toujours signe d'invite que de s'arrêter devant une vitrine éteinte. « L'autre » ne s'y trompe pas et, s'il s'arrête aussi, l'acte de regarder le néant est si absurde qu'il est évidemment appel et connivence. Le garçon, grand et très mince, porte des pantalons qui moulent ses hanches et ses cuisses mais s'évasent en entonnoir renversé sur ses talons. Ainsi, à distance, dirait-on d'un échassier d'une espèce inconnue dont les pattes seraient tout encombrées de plumes comme celles de la colombe de Picasso.

Ai-je dit que la Morte ne souffrait pas les homosexuels ? En vérité, non. Peu lui importait. Mais la lecture du journal («Délires en forme de poire ») lui avait confirmé la *nature* de son époux. Elle s'était souvenue d'un roman paru aux Etats-Unis en 1938 et dont la lecture l'avait intéressée. L'action se déroulait en Allemagne nazie, en 1934. Un petit fonctionnaire, amoureux de sa femme qui le trompe, découvre ce que celle-ci lui avait étrangement caché : elle est d'origine juive. Le fonctionnaire ne souffle mot de sa découverte mais commence à tenir des propos antisémites. D'abord prudents... « Je ne suis pas tout à fait d'accord avec les nazis...» Ensuite : « Je ne suis pas d'accord *mais...* » Ensuite : « Il faut tout de même convenir que sur certains points les nazis, à propos des juifs... » Ensuite : « Qu'on soit nazi ou pas, il est parfaitement vrai que les juifs... » Enfin : « Sales juifs ! » A travers la vitre, il observe en sadique les réactions de l'épouse. Celle-ci, peu à peu, cesse de tromper le fonctionnaire mais, au dernier chapitre, se suicide en se jetant sous un train. Clara avait dit à Montcel qu'elle trouvait ce roman admirable.

— Oui... Oui... avait convenu Montcel. Tu exagères un peu.

— Non. L'auteur a mis le doigt sur quelque chose d'essentiel. Chacun a sa *juiverie* secrète.

Elle avait pris un ton badin pour demander :

— Et toi, Pierre, quelle est la tienne ?

— Si j'étais juif, j'en serais fier et le dirais.

— Tu sais bien que ce n'est pas de ça que je veux parler. Tu fais l'imbécile ?

Il s'était lancé dans un très long monologue.
Tout poète, tout créateur est exilé. De quel
royaume dont il ignore le nom ? De quels riva-
ges ? Quelle est, très intérieure, sa plus étrange
soif ? Et cette volonté d'être l'Unique et le
Tout... Ce désir d'être le frère de tous les
hommes et le solitaire qui, à dents menues,
ronge son cœur comme on ronge ses ongles.
Alors, au sens où elle l'entendait, c'est la vie qui
était, déjà, la première et l'essentielle juiverie.
Non, il ne faisait pas là du spiritualisme. Oui,
il était matérialiste mais certes la matière n'a
ni le sens de l'Unique ni celui de la frater-
nité et l'amour, en somme, qu'était-ce d'autre
que la plus haute note, tenue en sa plus belle
vibration, de cette vie dont chacun est le prétexte et le témoin qui s'avance et vient témoi-
gner contre le silence du néant ? Chaque
homme est un élu mais il ne le sait pas. Quant
à l'artiste, il le sait mais il doute. Enfin, cette
juiverie dont elle parle... Oui, il comprend très
bien ce qu'elle entend par là... Eh bien, oui,
grâce à la politique, il lui avait donné le nom
de l'espérance... de... oui... d'être enfin l'Unique
dans le Tout. De même que son amour d'une
femme, de Clara, était, n'est-ce pas, tout
l'Amour... Et viendraient les temps où nul ne
serait « le juif » de l'Autre ou de soi-même.
Il n'y aurait plus d'art — et en cela il ne

reniait pas l'illumination de sa jeunesse — parce que... cela avait été une intuition géniale que l'art serait de tous, par tous et pour tous... Dès lors, l'artiste — le Poète — ne serait plus ce « juif » dont elle parlait. La vie, après tout, cette juiverie... « C'est curieux mais j'ai pensé à ça, à Venise, quand nous avons visité la synagogue portugaise. Et (il rit) est-ce que tu te souviens de ce jeune antiquaire tout en boucles et sourires qui nous a proposé un contrat de mariage du xvie siècle, sur parchemin et calligraphié en hébreu ? J'ai dit : « C'est beau » et l'antiquaire a voulu nous le traduire ; mais tu as dit : « Non. Tous les contrats de mariage devraient être rédigés dans une langue incompréhensible. » (Il se tait). Je comprends... juif ou SS... toujours l'un ou l'autre à la limite et le secret, pour tous les êtres, du combat de ces anges dans son âme et sa chair. Mieux même... »

Elle l'interrompit et dit :

— Bon... tu préfères vaticiner en battant des ailes plutôt que de répondre à la question *précise* que je t'avais posée. Ça va. J'aurais au moins appris que tu croyais à l'âme et que les SS étaient des anges. Parfait.

— Tu sais bien, Clara, que ça n'est pas ça que je veux dire.

— Alors qu'attends-tu pour dire ce que tu ne dis pas ?

Elle rit soudain. Elle se souvenait d'un tableau surréaliste où l'on voyait, de dos, un jeune homme nu, dans un paysage lunaire et qui marchait sur un sol tapissé de débris de squelettes. Le tableau figurait : « Le Christ marchant sur les os. » On avait dit à Clara — il y avait de cela une vingtaine d'années — que Montcel avait posé pour le portrait du jeune homme nu, vu de dos. On avait même ajouté que beaucoup « d'amateurs » n'émettaient aucun doute à ce sujet et identifiaient formellement les fesses de Montcel.

— Pourquoi ris-tu ?

— Je pensais au Christ...

— C'est un sujet comique ?

— Plus que tu ne le crois...

Cette manière sibylline de parler qu'affectait parfois la Morte, ces allusions, ces phrases non terminées, coupées, laissées en suspens — et ce sourire qui se défaisait ensuite sur son visage, comme une vapeur... Pourtant, jamais, le vieil écrivain ne l'invita de manière pressante à poursuivre et à préciser ce qu'elle voulait dire. Il y a cinq ans, ils revenaient en voiture d'un dîner auquel ils avaient été invités par des amis, à la campagne. Clara conduisait et le vieil écrivain qui, contre son habitude, avait bu un peu trop de champagne se taisait. La nuit. Les phares qui balaient la route. Le ronronnement huilé du moteur. Clara qui conduit, visage sévère, les mains bien assurées sur le volant. Il pense alors : « Qu'est-ce que je fais avec cette femme, dans cette voiture. Qui est-elle ? Que me veut-elle ? Pourquoi ? A la suite de quels miracles, catastrophes, cataclysmes et Apocalypse nos deux corps sont-ils cette double présence, dans cette boîte ? Quelle glu, entre nous ? Pourquoi, du fond de tous les horizons, ces deux oiseaux sont-ils là, momifiés sur un même perchoir ? Qui nous a désignés et liés l'un à l'autre ? Grand serait le mystère s'il y avait... mystère. » Montcel médite et conclut de là à l'impossibilité de l'amour. On n'aime jamais l'Autre sauf à croire aux miracles ; on ramasse un miroir. En raison du froid qui règne dehors, les vitres sont remontées et le chauffage répand une mauvaise chaleur qui engourdit et agace à la fois. Les idées du vieil écrivain, au long du trajet, naissent dans cette couveuse de verre et de tôle, s'enflent à vitesse accélérée comme des furoncles douloureux que l'on fait *mûrir* artificiellement sous des compresses chaudes. Couveuse, boîte, cellule, chambre, prison : la voiture est tout cela. Ce pourrait être l'heure des confidences et des souvenirs, des aveux et des mots qui disent l'amitié ou l'amour. C'est l'heure interminable du silence et de la haine. Clara est toute dure de mutisme et d'attention. Entre elle et son mari, ce n'est pas un appuie-bras qu'il y a et qui les sépare mais une barrière de feu. A la fin, il dit d'une voix sourde (je répète qu'il était un peu saoul) : « Clara... » Il se tait. Elle dit : « Oui... Eh bien, je t'écoute... » « Clara (et son débit reste sourd mais se fait plus précipité)... Je sais que tu ne m'aimes pas... Moi non plus, si tu veux savoir. Moi non plus. Mais je voudrais savoir ce que tu as contre moi. Pourquoi cette distance entre nous... Pourquoi tout ce que tu racontes à mon sujet... — Je ne raconte rien à personne ! dit-elle sèchement. — Je sais... Tu te le racontes à toi-même. C'est la même chose. Pourquoi ? Heu... Est-ce que nous ne devrions pas avoir une explication ? » Clara ne répond rien et pas un muscle de son visage ne tressaille. Il continue de parler. Il dit : « Après tout, ce serait plus clair. Si tu as des choses à me dire, pourquoi... heu... les taire ? » Elle continue de conduire. Il y eut alors un silence d'une vingtaine de minutes. Clara stoppe devant une barrière baissée de passage à niveau. Le train n'arrive pas. Elle dit : « D'accord. Je suis prête à te dire ce que je pense de toi mais je te préviens, Pierre, que ce ne sera pas long. Je te le dirai en une phrase. Si tu m'en pries, je parle mais je te préviens que tu regretteras de m'y avoir invitée. Décide, maintenant. » Il se tait. Le train arrive en ouragan. La barrière se relève. Clara démarre. Montcel n'insiste pas. Elle aurait dit : « Tu es un homosexuel, un impuissant et un grand écrivain qui, au fond, n'avait rien à dire et n'a rien dit ; tu es faux. »

Paris n'est qu'une vaste nasse labyrinthique où je ne sais quel sort fait que j'y rencontre *toujours* ma Montcel.

Elle aurait dit : « Tu es faux. » Comment supporte-t-on de vivre auprès de quelqu'un toujours prêt à vous cracher à la face un jet de mépris ? Quel est ce divorce, si difficile à comprendre, entre l'intelligence et le caractère ? Qu'ils sont étranges et me sont étrangers ces grands hommes qu'un regard de femme transforme en chiens couchants. A *qui* obéissent-ils ? A une mère ? Je crois plutôt qu'ils sont écrasés par une femme parce que celle-ci détient le secret de leur être. Aux yeux de tous, ils flamboient de rayons ; aux yeux de l'épouse ou de la maîtresse, ils n'ont jamais prouvé — brutalement — qu'ils étaient des hommes et les voilà éteints. Entre tous les mépris, ceux de l'alcôve sont les plus humiliants. Non point que Clara, en l'occurrence, eût vraiment souffert des désintérêts de Montcel et de ses sommeils trop prompts pour être vrais. La nature l'avait dotée d'un tempérament plus nerveux que sensuel, plus impérieux que soumis, plus désireux d'imposer des volontés que de recevoir des caresses. Pour un peu, elle eût été lesbienne et, entre elle et Montcel, la sexualité violente ne jouait pas le premier rôle. Il s'agissait d'autre chose de plus fou et de plus sinueux. Après tout, la pureté du chant des castrats de la Sixtine était payée comme on le sait. Et Montcel eût-il lui-même tant et tant chanté Clara s'il avait eu les fougues de Casanova ? Et si docilement eût-il été soumis à celle qu'il avait, faute d'en faire meilleur usage, transformée en Immortelle ?

Encore un coup, mon humeur n'était pas bonne lorsque j'entendais critiques et lecteurs célébrer jusqu'aux empyrées les amours littéraires de Clara et de Montcel. Des envies m'agitaient de m'avancer au beau milieu des places publiques et de crier à l'imposture, dans un porte-voix de crieur de village. Pourquoi, en ce cas, pardonné-je à Proust ce qui, chez Montcel, me donne l'urticaire ? C'est que Marcel Proust, dans sa vie, ne cachait pas son jeu. C'est qu'il chanta Albertine sans en proposer à l'adoration des foules le modèle vivant. C'est qu'il ne se fit jamais le champion d'une morale qui, là où elle est d'Etat, ne souffre pas ce « vice ». C'est qu'il ne fut jamais le valet d'une politique et le flic d'un système. Avouons, d'abord, ce que nous sommes et déjà nous serons baignés par le pardon. Ou bien, il est une autre issue et qui est celle du secret farouchement gardé. Pour moi, entre aveu et secret, je n'aimerai jamais certaines prostitutions.

Clara disait :

— Il y a de l'infâme, chez Proust.

— Je dirai, moi...

— Et moi je te répondrai qu'il y a de l'infâme. Il montre à un gigolo un album de photos parmi lesquelles il a glissé celle de sa mère morte. Il commente les photos à coups de mots méchants. Arrivé à celle de sa mère, il dit : « Et celle-là, qu'en penses-tu ? Une vraie tête de vicieuse, hein ? » Jusqu'à ce que le gigolo approuve. Il vend les meubles de sa mère au patron d'un bordel pour hommes de la rue de l'Arcade, il...

— Pardon. Erreur dans l'histoire des photos. Tu te trompes. En fait, chapitré par le patron du bordel à qui Proust avait dicté le scénario, le garçon restait impassible devant toutes les photos sauf devant celle de la mère. Là, il disait en arrêtant Proust prêt à tourner la page : « Qui c'est, cette poule-là ? »

— Arrête ! C'est immonde !

Le lendemain, Montcel qui a ouvert doucement, par il ne sait quelle intuition, la porte du salon, découvrira Clara, assise en robe de chambre devant une table de tric-trac et occupée à trier et à déchirer des photos. Il regarde puis se retire en refermant la porte sans bruit. Clara ne sait pas qu'il a dissimulé des photos d'elle dans la bibliothèque, derrière le rayon supérieur où s'alignent les œuvres complètes de Proust.

Oui, je ne sais quel sort fait que je rencontre *toujours* le vieil écrivain. Lequel des deux persécute l'autre ? Et si c'était lui qui s'acharnait curieusement à me suivre ou à faire que nos passages se croisent ? Ne suis-je point peut-être la seule personne, à Paris, à avoir le cœur soulevé et l'âme indignée par les derniers avatars du Poète ? Il le sait et me nargue. Il fait exprès de m'exaspérer. Bientôt, dès qu'il m'apercevra, il se trémoussera et me fera de l'œil. Ainsi, hier, je l'ai rencontré qui visitait, accompagné d'un jeune homme de velours, une exposition de peinture d'avant-garde accrochée dans l'*Espace Cardin*. Dès qu'il m'aperçut, il me refila un étrange regard à la fois insolent et racoleur. Je faillis étouffer. « Ça ! C'est le bouquet ! Il n'a même plus honte devant moi ! Il ose se payer ma tête ! » Je précipitai mon allure, visitai l'exposition au pas de charge mais j'eus l'impression qu'il accordait sa hâte à la mienne. Allait-il m'aborder ? me « raccrocher » ? m'inviter à souper avec l'un de ses mignons ? Je quittai le local comme un qui prend la fuite et, m'engouffrant rue du Cirque, je croyais entendre derrière moi le rire de l'affreux vieillard qui me poursuivait.

Rue de l'Abbaye, devant la vitrine éteinte de l'antiquaire *Comoglio*, ça n'a pas marché entre le vieil écrivain et l'éphèbe à la taille de guêpe et aux pattes de colombe. Ah ! voici que je m'égare ! L'antiquaire *Comoglio* n'habite pas rue de l'Abbaye mais rue Jacob ! Cette chasse, vraiment, me trouble l'esprit et ce quartier dont je connais chaque détour et chaque pierre s'enchante, sous mes pas, à suivre le démon. Enchantement maléfique d'une nouvelle Brocéliande. Vers quels taillis et quels halliers m'entraîne le Sorcier ? Derrière chaque arbre se dissimule un adolescent fardé aux yeux de biche ou aux épaules musclées de voyou bagarreur. Et continue, entre eux et le vieil écrivain, un jeu nocturne de cache-cache ; et dans cette forêt, je bondis, d'affût en affût, comme un renard. Lorsque Clara était vivante, le vieil écrivain se comportait vis-à-vis des « jeunes » avec sécheresse et même avec une certaine brutalité. Tant était vive sa crainte de fondre de tendresse, en leur présence, il affectait alors des détachements et des déplaisirs altiers. Les étudiants, les ouvriers, les jeunes membres du Parti qui venaient le voir admiraient cette hauteur en quoi ils ne voyaient naïvement que l'austérité âpre d'un illustre militant — d'un « homme de fer », comme le grand Staline. Devant le cercle béat d'admiration, Montcel pérorait, l'œil fixe et bleu, le menton dressé, et nul ne savait que sa faconde dissimulait un vertige. Qu'il regardât ces jeunes visages, que

l'un d'eux le bouleversât et le masque risquait
de tomber d'un coup. Imaginons la stupeur des
jeunes si leur idole s'était mise soudain à leur
glisser des regards énamourés et à appointer les
lèvres en leur susurrant des douceurs ! Clara
veillait au grain. Implacable. Chaque matin,
elle remontait cette machine qui sans elle eût
pu se dérégler, lâchait le jouet et gardait la
clef.

Je lui sais gré d'être morte avant Montcel.
Elle m'a permis de voir le jouet devenir fou,
vrombir, patiner, donner du nez dans les cloisons et les meubles — et d'accorder enfin mon
mépris à la vérité du personnage. Que se fût-il
passé s'il l'eût précédée dans la tombe ! Nous
n'aurions jamais su que Tristan était du bois
dont on fait les Isolde et la postérité eût été
bel et bien bernée. Certes, des rats de bibliothèque de l'an 2500 ou des biographes fureteurs eussent laissé entendre que du côté de
ses vingt ans... de ses trente ans... Montcel avait
eu une vie sentimentale aux traces quelque
peu brouillées mais, sous les pieuses bande-
lettes de gloses érudites, la momie Montcel,
allongée dans le même mausolée que la momie
Clara, ne fût point tombée en poudre en déli-
vrant le sceau glissé dans sa bouche morte et
gravé de son secret. Grâce au ciel, Clara avait
eu l'excellente idée de crever avant le vieil

écrivain et, grâce au ciel encore, il y avait *moi !*
L'accusateur ! Le témoin ! Le parleur ! Celui
qu'on n'attend pas et qui surgit avec emporte-
ment dans la salle du trône, sur la place pu-
blique ; et qui, l'œil allumé, la bouche folle, la
mèche dressée, le bras tendu, s'écrie que le
mensonge ne prévaudra pas et que l'idole sera
brisée. Tenez, la voici, votre idole ! Regardez-la
qui danse et minaude ! Voyez les coutures de
son manteau d'Arlequin qui se déchirent et le
son qui s'en échappe à poignées ! C'est Fra-
casse, Pantalon, Arlequin, Auguste, Scaramou-
che ! Tordons ce nez ! Arrachons cette barbe !
C'était *ça*, Montcel, un vil pantin qui nous a
abusés et qui voulut nous obliger à adorer
l'haïssable dont il avait peur et qui exigea que
nous nous pâmions à ses mirlitonnades. Un
homme de peur et de glace, un cœur de pierre et
de boue, un commissaire impuissant déguisé en
enchanteur ! Hé là ! Halte ! Je suis là, moi. Et
je clame au monde et aux postérités les bouf-
fonneries de Scapin ; je bouscule à coups de
bélier ces cathédrales de mots qui se lézardent
et s'abattent comme décors de carton ; je démo-
lis sous les bombes le labyrinthe où il croyait
m'égarer ! Il ne m'aura pas. Je ne le suivrai
pas chantant et dansant dans sa robe. Je lâche-
rai des bombes et ainsi atteindrai le cœur du
palais. Je trancherai le nœud que je ne puis

défaire. Montcel en a menti ! Je l'ai vu, moi !
J'étais vivant, moi ! Je fus son contemporain,
moi ! Je n'invente pas, je n'extrapole pas, je ne
suppose pas, je ne déduis pas, je n'infère pas, je
ne tâtonne pas, je ne me demande pas, je
n'avance pas, je ne propose pas, je n'induis
pas, je ne suggère pas, non, non, j'étais vivant
et j'ai vu, moi. J'ai été le témoin visuel de ses
aplatissements devant Clara et de ses gigues
obscènes dès qu'elle fut jetée en terre. Toute
cette littérature dont Montcel nous a accablés
était *fausse* et, voyez-vous, le pis, pour le destin
littéraire de ce faussaire, c'est que son œuvre
n'a même pas valeur de palimpseste. Hélas,
c'est bien Clara qu'il a chantée. Albertine, ici,
n'est pas Albert. Ne cherchez pas à décrypter :
c'est de l'aplatissement et ça n'est que cela !
De même, s'agissant de ses romans populistes,
oh, je vous en prie, ne vous efforcez pas à une
lecture qui, grâce à une grille, ferait surgir, sous
la veulerie et la servilité, peut-être l'ironie d'un
désespoir. Hélas, point du tout ! Soyez plutôt
assurés que Montcel crétinisa avec aplomb et
qu'il eut volontairement la sombre bêtise de
sa puissance.

O jeunes gens qui plus tard vous interrogerez
sur les idoles de ce siècle, ne soyez pas dupes
(comme certains d'entre nous le furent par
exemple de Montcel) de leurs trémolos, de leurs

indignations et de leurs générosités. J'étais là, parmi les clowns, et je les ai vus, en coulisses, hors de la piste et des lustres. A la gloire ils étaient prêts à tout sacrifier. A la gloire ou à leur personnage de comédie. C'est la même chose, mes enfants.

Où sommes-nous, Montcel et moi ? A Paris toujours et à Saint-Germain-des-Prés. La place de Furstenberg languissait d'abandon sous la lumière de ses lampadaires aux globes de lait. Nous avons tourné à droite, vers la rue de Seine. Ma poursuite devient de plus en plus harassante et de moins en moins dissimulée. Bientôt, si ça continue, lui et moi allons chasser bras dessus bras dessous. Peut-être même chanterons-nous et nous prendra-t-on pour des ivrognes, mon ami Montcel et moi. C'est la vie.

— J'adore les œufs, dit Sabine. Si j'avais su que tu me garderais toute la nuit, je t'aurais préparé une tarte à pommes.

— On ne dit pas tarte à pommes mais tarte aux pommes.

— Tartapomme est plus joli. Tartafraise, tartapoire, tartamuche ! T'es ma grosse vieille vicieuse tartamuche, biquet. T'as pas envie que je te tartapoiremuche ? Ho, ho ! Tartemuche-moi !

Montcel rit. Sabine roule des yeux, glousse, se chatouille et danse sur son siège d'une fesse sur l'autre.

— J'aime faire la cuisine. La prochaine fois, si tu veux.

Le vieil écrivain est enchanté du projet. La prochaine fois, au lieu de souper à 3 heures du matin, nous nous préparerons un vrai dîner et nous mangerons de la tartapomme. Parfait. Très bonne idée, ma tartemuche.

— Ton ami ne proteste pas si tu ne rentres pas de la nuit ?

— Oh, lui, tu sais, du moment que je ramène du fric pour le ménage... Evidemment, si je rentrais sans... disons sans mon salaire... il me poserait des questions et, oh là là, qu'est-ce que je prendrais !

— Que fait-il ?

— Rien, je te dis. C'est moi qui fais bouillir la marmite.

Il a pelé une banane. Il la mange.

— Tu lui diras que tu étais avec moi ?

— **Hein ?**

— Avec moi. Tu lui diras mon nom ?

Il hausse les épaules.

— Si tu savais ce qu'il s'en fout, lui, alors là, c'est **incroyable. Je lui dirais que j'ai passé la nuit avec le pape, alors là, pour lui, c'est vraiment du pareil au même. Il sait seulement que je ne vais qu'avec des amis très bien. C'est tout. Mais... je comprends pas. On dirait que tu as honte. De quoi ?**

— Je n'ai pas honte.

— **Dans la vie, chacun fait ce qu'il lui plaît, non ?**

— Bien sûr... Oui.

— **Tu veux que je t'embrasse ?**

— Viens ici...

— **Tu es bien comme ça ?**

— Chut... tais-toi.

— **Qu'est-ce que tu veux, biquet ? Ça ?... Ça ?**

— Oui... ça, c'est bien.

D'ailleurs, tout bien réfléchi, je me demande si la Morte n'est pas ravie, du fond de ses Enfers, que le vieil écrivain à mes yeux se délabre. Vous êtes ma complice, Clara. Une bouche d'ombre me souffle que vous n'êtes pas si furieuse de me voir étriper votre barde. Après tout, c'est votre vengeance. Vous êtes morte mais je témoignerai de la saleté de Montcel vous survivant. Vous me chargez de la besogne.

— Clara, je vous donne le choix : ou bien je me tais et le monde croira — peut-être — à vos amours merveilleuses avec Montcel mais ses infâmes goguettes, dès que vous fûtes morte, ne seront point divulguées ; ou bien, je parle, détruis votre « romance » mais vous venge.

La table tourne et Clara me répond :

— Soit ! Vengez-moi !

Ainsi, avec l'approbation de la Morte, je serai celui par qui la baudruche est percée. Je courrai après le gros bourdon qui, dans les jardins de Saint-Germain-des-Prés, traîne son vol de fleur en fleur et je brandirai mon filet toujours prêt à s'abattre. Je vous vengerai, chère Clara.

Comme votre crâne est léger, troué d'ombres et de lumières, lorsque j'en embrasse la bouche sans lèvres. Posé sur ma table de travail, comme j'écris ce livre, il me sert de presse-papier.

Lorsque le vieil écrivain fut de retour du cimetière, il ordonna qu'on le laissât seul. Le valet alluma un grand feu de bois et Montcel s'assit dans un fauteuil, devant l'âtre. Il avait les yeux secs, les mains sèches, la tête sèche, le cœur sec. Et le choix : soit proposer aux autres un magnifique chagrin de comédie ; soit se vêtir de chemises roses, se chausser d'escarpins et danser, sur de nouvelles mesures, le temps qu'il lui restait à vivre. Il hésitait en regardant les flammes où il croyait voir naître et se défaire le visage de Clara.

Au cours de l'après-midi, il revint au cimetière. Il vérifia qu'elle était bien morte, debout, au bord de la tombe, et que les gerbes de fleurs ne se soulevaient pas à l'annonce d'une résurrection. Il flâna, à pas lents, à travers les allées. Il était seul. Un brouillard enveloppait les croix et les caveaux. Décidément, il éprouva une sorte d'attendrissement sur ce vieil homme qui déambulait et le trouva romantique et très intéressant. Un poète dans un cimetière, c'est presque une allégorie, n'est-ce pas ? Une vie, ma vie, toutes ces pauvres vies... Tant d'amis reniés, de complices, de valets, de faux camarades derrière lui. Des livres qui ont la forme de ces pierres tombales alignées le long des allées numérotées. Nous prenons celle qui porte le numéro 12, nous tournons à droite en direction de la section IV, nous la suivons jusqu'à l'allée numéro 16 qui nous conduit à la section XI. Chercherait-il par hasard les ruines de quel-

que *Flore* dans cette Pompei ? Il s'agenouillerait et longtemps resterait tête baissée. On
croirait qu'il prie alors que son regard ne
s'émerveillerait, dans le dessin de la mosaïque,
que du profil d'un adolescent maîtrisant un
vigoureux barbu. S'agirait-il d'une lutte avec un
faune ? Comment savoir puisque la mosaïque,
au niveau de la taille du robuste lutteur, a été
malheureusement réduite en poudre ? Il marche. Dirait-on pas qu'il guette ? Mon Dieu, oserait-il rêver de chasse dans un cimetière ? A-t-il
cet espoir fou d'apercevoir des gitons tapineurs
auxquels des maquereaux-démons auraient
donné l'ordre de se figer en Endymions endormis et appuyés au flanc des caveaux ? Il est
enfin revenu près du carré de terre sous
laquelle gît la Morte. Ecrira-t-il un « Tombeau
pour Clara » ? Rien de plus facile avec l'entraînement qui est le sien. Deux mille vers ne lui
coûteraient nulle migraine.

— Si je meurs avant toi, est-ce que tu écriras des « Regrets » ? lui avait-elle demandé.

— Tu ne mourras pas avant moi. Je le jure.

Malgré son serment, quelque chose, comme
une prescience, l'avertissait que Clara allait s'en
aller. Depuis deux ans déjà il ne l'avait pas
chantée et, à des signes infiniment ténus, on
eût dit qu'elle s'étiolait comme une fleur qu'un
jardinier oublie d'arroser. Montcel était ce jar-

dinier qui portait à la main un arrosoir rempli de poésie dont il promenait la pomme au-dessus de Clara ; et les vers coulaient en rayons d'argent et ravivaient feuilles et pétales. « De certaine façon, pensait Montcel, elle vit grâce à moi et il suffirait que je la drogue d'un nouveau recueil de poèmes — et d'un autre, et d'un autre encore... — pour qu'elle m'enterre et me survive. » Mais, depuis deux ans, il lui avait « coupé les vers » comme on coupe les vivres. Clara enrageait mais se taisait. Montcel, lui, multipliait les preuves de dévotion mais n'écrivait pas. Six mois avant sa mort, ils étaient assis dans le salon et regardaient la télévision. Brusquement, elle se leva — des enfants dansaient une ronde sur l'écran — et éteignit le poste. Elle se rassit et dit :

— Tu ne m'as jamais fait d'enfant. Pourquoi ?

— Quelle question ! Tu aurais aimé avoir des enfants ?

— Oui.

— J'ai été ton enfant.

Elle éclata d'un rire suraigu et artificiel. Sérieuse d'un coup, elle dit :

— Il est vrai que, si je n'avais pas été là, tu aurais fini dans un cirque, dans le personnage de Monsieur Loyal. Non... je me trompe : tu te serais suicidé. Au fond, je t'ai recueilli.

Tu étais perdu quand je t'ai épousé. Tu m'écoutes ?

— Oui, je t'écoute.

— Pourquoi ne m'as-tu pas fait des enfants ?

— Je ne voulais pas qu'ils te volent un peu de mon amour.

— Littérature.

— Qu'est-ce qui n'en est pas ?

Elle laisse s'installer « un temps », comme au théâtre, puis dit :

— Certains aveux.

Il répond, lui aussi, avec « un temps » :

— On avoue toujours, Clara.

— Vas-y, je t'écoute.

— J'ai beaucoup réfléchi sur le problème de la création... encore que je déteste ce mot de « problème » en l'occurrence... Bon... Toute création est une gloire, oui, mais oui... Le monde manifeste la gloire de Dieu et...

— De Dieu ?

— Tu comprends parfaitement ce que je veux dire. C'est un pari sur l'imaginaire futur des hommes.

— Pardon ?

— Berenson dit très justement que Sigismond Malatesta, Frédéric d'Urbin ou Alphonse de Naples n'étaient après tout que de petits princes régnant sur de petits royaumes toujours menacés par des chenapans appelés *condottieri.* Rien de plus. Alors, que firent ces poètes qui rêvaient de César et d'Alexandre ? Eh bien, ils firent comme si et se bâtirent, eux qui étaient infimes, les monuments d'une gloire imaginaire. Et celle-ci est devenue *vraie* grâce aux poètes, aux peintres, aux sculpteurs, aux médaillistes et aux architectes qui ont chanté, peint, sculpté, etc., ce qui n'était qu'une imposture qui n'en a pas moins triomphé de cette pauvresse qu'est toujours la vérité. Et Homère dit que « les dieux disposent des destinées et décident la chute des hommes afin que des générations futures puissent composer des chants ». Comment, se demande Nietzsche, de pareilles idées ont-elles pu germer dans la cervelle d'un Grec ? Je ne comprends pas, moi, son étonnement.

— Ah oui ?

— Puisque je crois que le vrai n'est qu'une volonté et que nous ne serons jugés que sur nos rêves.

— Donc, tu n'as pensé qu'à toi ?

— Pfff... pfff...

— Arrête de faire tes « pfff, pfff » ! J'aime la prose, moi.

Elle lui dit qu'il avait mal joué sa vie. Il avait trop parié sur sa jeunesse et pris le départ dans les éclats menteurs du « génie » et dans les insolences. Ça ne pouvait évidemment pas durer sous peine de ridicule et ce qui avait été possible pour d'autres — soutenir la gageure — lui aurait été refusé parce que sa nature était celle d'un « suiveur ». Toujours, il avait brillamment suivi, donnant même parfois l'impression d'être en tête, mais il n'avait rien créé d'essentiel et n'avait été au départ de rien.

— Grâce à moi, tu as survécu à tes heures éblouissantes et tu es devenu un pantin respecté et présentable.

— Pourquoi as-tu vécu avec ce pantin ?

Pour qui se prend-il ? De quel droit lui pose-t-il pareilles questions ? Est-ce que cela le regarde ? Croit-il qu'elle n'aurait pas trouvé *mieux ?* Elle en assez de cette question ! Elle aurait pu vivre avec n'importe quel homme ! Pourquoi elle ne l'a pas chassé ?

— Parce que tu m'as roulée. (Silence.) Oui, j'ai été lâche ; je n'ai pas osé déranger l'image que les autres, à cause de tes livres, se faisaient de nous. J'ai payé d'un enfer la construction de cette statue. Ça, Malatesta, c'est la vérité.

Chère Clara, je ne vous le fais pas dire. Quand je vous rencontrais, vous et Montcel, ou quand je lisais une nouvelle livraison de poèmes à votre gloire, je me posais en effet cette question : « Quel est le prix de ce mensonge ? » J'admire maintenant, à recueillir vos aveux d'outre-tombe, que vous ayiez su que votre amour était de parade. Mon Dieu, c'est le lot de millions de couples sauf que leur comédie est plus humble que la vôtre. Tel milliardaire offre des manteaux de vison à l'épouse abhorrée. Montcel ne faisait rien d'autre en vous accablant de poèmes. Je triomphe : votre couple était banal. Et sordide. Et dans le huis clos de la loge, après la représentation, que de haine entre Arlequin et Colombine ! Je le savais et c'était bien là ce qui me soulevait le cœur, à votre *spectacle*. Enfin, ma bonne, sachez que Paris est petit et que, tout de même, des bruits filtraient sur les comportements en coulisse d'Abélard-Montcel et de Clara-Héloïse. Un de vos amis me raconta un jour qu'à Rome, il y a une quinzaine d'années, vous aviez injurié Montcel devant lui. Vous étiez attablés tous les trois dans une *trattoria* et, soudain, vous aviez moqué votre époux parce qu'il avait parlé à une réunion d'écrivains en « s'écoutant ». Vous lui aviez reproché d'être incapable de discourir plus d'une demi-heure sans s'enivrer de sa propre éloquence et sans brusquement « perdre les pédales » et « s'écouter » en oubliant le public. « C'est comme un ivrogne. Il tient le coup puis sa griserie le fait s'envoler d'abord et s'écrouler ensuite. Tu étais pitoyable, Pierre ! Tu étais ridicule et tu continuais. Tu aggravais ton cas. Un vrai ivrogne saoul de mots ! » Le repas fut atroce. Montcel recevait tous les coups sans répondre. A la fin, il se leva et se réfugia dans les lavabos. L'ami, comme le séjour de Montcel s'y prolongeait, alla l'y rejoindre et le pria de revenir à table. Il avait les yeux rouges, l'air hébété, la voix perdue. Il se laissa conduire dans la salle comme un martyr vers le bûcher mais vous aviez disparu. L'ami avait reconduit Montcel, titubant, vers l'hôtel où vous logiez.

— Rentrez maintenant...

— Je ne veux pas.

— Mais si.

— Je ne veux pas ! répétait Montcel.

— Qu'allez-vous faire ?

— Marcher, je vais marcher !

L'ami avait essayé d'entraîner Montcel à l'intérieur de l'hôtel mais il s'était débattu et avait crié :

— Je vous dis que je vais marcher ! Dans les rues ! Et elle ne saura pas où je suis ; elle ne dormira pas de toute la nuit et moi j'irai pisser dans le Forum, j'irai pisser sur le monument de Victor-Emmanuel, j'irai pisser dans la Sixtine et je prendrai mon petit déjeuner avec le pape ! Oui, avec le pape !

Il tourna les talons et partit comme un furieux. Dans le hall, vous étiez assise et fumiez une cigarette. L'ami vous aperçut.

— Pierre n'est pas avec vous ?

— **Non.**

— Vous n'êtes pas rentrés ensemble ?

— Si, mais il a décidé de ne pas se coucher.

— Que vous a-t-il dit ?

— Il m'a dit qu'il allait pisser sur le Forum et qu'il prendrait son petit déjeuner avec le pape.

Vous avez ri et déclaré que vous viviez avec un enfant. « Il m'inquiète... Je me demande s'il n'est pas fou. Il y a une semaine, il est entré dans ma chambre et m'a dit : « Je suis Pierre Montcel ! » Il transpirait et grelottait. Je lui ai répondu : « Oui, tu es Pierre Montcel. » Il m'a dit : « Il y a des gens qui en doutent. Je les aurai, ceux-là. Ils verront à qui ils ont affaire. » Ensuite, il s'est précipitamment habillé et est decendu dans la rue. Je l'ai rattrapé et il allait, en tournant autour du pâté de maisons, en répétant : « Je suis Pierre Montcel, je suis moi, je suis moi, je ne suis que moi ! » Vous croyez que je dois le traîner chez un médecin ? » Sous le sceau du secret, l'ami raconta cette histoire à une dizaine de personnes.

En sortant du cimetière, le vieil écrivain prit un taxi et se fit conduire aux abattoirs de La Villette. Il admira des colosses, tout souillés de sang et qui portaient sur le dos d'énormes quartiers de bœuf.

Jusqu'à quelle heure va-t-il ainsi errer dans Saint-Germain-des-Prés ? Jusqu'à quelle aube qui lui rappellera sa misère et son âge ? Jusqu'à quel reflet dans les vitrines d'un magasin de chaussures ou dans le métal poli d'un percolateur qui fuse sa vapeur et urine son café matinal ? Ma parole, mais c'est qu'il ne dort jamais, ce bougre ! Pas étonnant qu'il n'ait écrit que le texte de cinq ou six manifestes et de trois ou quatre articles, depuis la mort de Clara ! A quelle heure regagne-t-il sa tanière tapissée de soies, de fourrures et de tableaux ? Il exagère ! Ce sadique a peut-être décidé de mon épuisement et de ma mort. Il est le cerf royal des contes qui n'apparaît qu'au cours de rares nuits de présages pour filer, à travers monts et forêts, sous la lune éblouissant de lumière son pelage blanc et, moi, chien de pointe d'une meute perdue, je geins et jappe après la bête allégorique qui, avant l'aube, se retournera soudain et me fera face pour m'éventrer. Un cerf qui parle et me dit, mufle contre mufle : « Que veux-tu savoir, feu follet ? — Ton vrai nom. — Et si je te demandais quel est le tien ? — Dis-moi ton histoire. — As-tu avoué la tienne ? » Il bondit et reprend sa course. Terrible question. Qu'est-ce qu'un aveu ? Où finit la comédie si on ne meurt pas de la jouer ? Je suis un enfant, soudain, puis un adolescent, puis un homme et des voix m'ont crié aussi : « Parle ! Qu'attends-tu pour parler ? » Voix d'un père, voix d'amis, voix de femmes. Un visage de larmes troué d'une bouche qui tremble et crie : « Parle ! Je t'en supplie, parle ! » Et si le cerf blanc n'était rien d'autre qu'une apparition ? Et si, à mon tour, j'étais suivi par des chiens dans cette nuit maudite ? Que suis-je venu vivre et mentir, il y a des lustres, à Saint-Germain-des-Prés ? Quel adolescent ai-je abandonné, dans une ville de province, et pourquoi ne suis-je pas à ses côtés, rue de Verdun, puis à droite rue de la Gare, puis boulevard Barbès après avoir franchi le portail des Jacobins. Tout est désert, là-bas, cette même nuit, pendant que je poursuis un vieillard dans les allées d'un autre monde. « J'ai tout dit, moi, cerf du diable ! » Il hausse les bois et brame un grand éclat de rire. Taïaut ! Continuons ! Jusqu'à quelle aube de Paris ? Il aura les yeux gonflés, les jambes douloureuses, la gorge sèche. Sa main tâtonnera pour introduire la clef dans la serrure. Le concierge de l'immeuble dira à sa femme : « Tu sais qui est encore rentré à 6 heures, quand je sortais les poubelles ? Monsieur Montcel ! — Celui-là, quelle vie il mène depuis la mort de sa femme ! Qui l'aurait cru ! Il y a des choses qui passent l'imagination ! », répondra la femme en bigoudis.

Le vieil écrivain, au lendemain de ses chasses, se lève vers les 11 heures. Il se jure bien, ce soir, de se coucher très tôt après avoir dîné dans sa chambre, mais, lorsque la nuit commence à envelopper la ville, les démons ouvrent les yeux, défroissent leur peau ridée, rampent vers lui et grimpent sur son dos. Il est comme un joueur qui consulte sa montre et sait que le casino, en cet instant précis, rouvre ses portes. Les croupiers s'installent, étalent cartes et jetons puis, fesses calées sur les tabourets, attendent les victimes. Les unes après les autres celles-ci arrivent, comme chaque jour. Et, comme chaque jour, le vieil écrivain brosse ses longs cheveux, ôte sa robe de chambre, choisit

une flamboyante cravate et sort. Il lui arrive
d'oindre son visage d'un voile de crème. Son
parfum — une eau de Cologne de *Guerlain* —
est toujours le même. Il avait promis d'assister
à une réunion politique mais s'est contenté
d'envoyer un message. Que vaut l'avenir du
monde et des hommes lorsqu'il pense aux yeux
de cet adorable qui, hier, est sorti d'un café
de la rue du Four et lui a percé le cœur d'un
regard de feu ? Hélas, juste à ce moment, deux
étudiants barbus ont reconnu Montcel qui a aussitôt affecté l'allure d'un promeneur distrait.
Le jeune aux yeux de braise s'y est trompé,
a cru à de l'indifférence et s'est perdu dans la
foule. « Je suis Pierre Montcel ! » Il n'en doute
plus et n'a plus besoin de monter pas à pas,
lentement, les marches d'une tribune de meeting afin que l'ovation qui saluera son apparition l'assure de son *être*. Durant quarante
ans, il a pompé de l'être dans les foules, les
réunions, les défilés. Il était bien, il avait chaud
lorsque les gens disaient : « Montcel ! Voici
Montcel ! » Il n'avait plus peur de se vider
d'identité. Tous les trous, les mille trous d'ai-
guille dont l'avait percé Clara étaient bou-
chés, comme par des giclées de plâtre, grâce
aux ovations de la foule. Il souriait avec une
ferme bienveillance à la salle et n'avait aucun
doute : Montcel, c'était lui.

Maintenant, depuis la mort de Clara, il n'a plus besoin de ces étais, de ces arcs-boutants et de ces échafaudages sauf à éprouver l'écroulement de son identité. Il est celui qu'il est. Il est celui qu'il était et, à apercevoir dans ce miroir un homme plus chenu qu'un patriarche, assis dans un fauteuil et en train de caresser la perruque d'un travesti qui a tendrement posé la tête sur ses genoux, à ce spectacle d'un Abraham vicieux caressant la joue d'un Jacob maquillé, le vieil écrivain est paisible parce qu'il se reconnaît. A travers des murs de verre, j'admire ce spectacle, ce « groupe » comme on dit en termes de sculpture — et je le voudrais figé pour l'éternité. Coulé dans le bronze. Exposé sur les places publiques. Sur le socle, on lirait : « Montcel en train d'être aimé par un travelo ». Ainsi les générations présentes et futures apprendraient-elles ce que vaut la parole d'un littérateur, quel poids de vent pèsent ses vers, ses proses et ses politiques. César, me dit-on, fut aussi la femme de tous les hommes. C'est vrai, mais il fut aussi l'homme de toutes les femmes, conquit le monde et écrivit les « Commentaires » et non point des hymnes à quelque Clara portée en litière par des légionnaires. En outre, pendant plus de quarante ans, César ne m'a pas fait la morale, ne m'a pas menti et ne m'a pas proposé

en exemple les vertus adamantines de Staline !
Il y a folle et folle. Il y a pédé et pédale.
« Mais Montcel jouait, voyons, il n'était pas
sérieux ! » Fort bien. Il y a des jeux que je
ne pardonne pas et qui ne me font pas rire.
Enfin, j'attends le reniement du pitre, puisque
pitre il fut. J'attendrai toujours. Taïaut ! Tu ne
m'auras pas, Montcel ! Tu as voulu me troubler
avec tes histoires de cerf blanc et, pour un peu,
tu m'aurais ensorcelé. Heureusement, je me
suis repris. Tu n'es qu'un homme.

— Si je ne suis qu'un homme, pourquoi
me demandes-tu un aveu ? Viens, sois mon
complice. Viens et écoute cette musique... Elle
n'est pas celle des trompes et des cors dans le
taillis héraldique ou tu crois que je déchire ma
peau et laisse une trace de sang. Puisqu'il y
a si longtemps que nous tournons ensemble,
viens, mon fou, et dansons. C'est une valse.

— Ne me touchez pas !

— Ne crains rien.

C'est une valse lente et triste. Il a raison.
Dans les bals de fantômes, les danseurs ne se
touchent pas et seule la musique nous parle de
la vraie vie qui fut ailleurs avant de devenir
importune mémoire. Si nous ne sommes que
des hommes...

— Eh bien, valsons, mon fou.

Il est revenu sur ses pas et file vers la rue de Seine. Où va-t-il ? Il lui arrive, sans raison, de presser l'allure puis de freiner, puis de repartir de plus belle. Parfois, pour mon repos, il adopte une vitesse de croisière. Lors nous voguons, sur cette mer, lui baleine blanche et moi capitaine Achab. Il y a eu de nouveau le *no man's land* de la place de Furstenberg où j'ai été obligé de le laisser gagner du champ. Je craignais qu'il ne s'assît là, sur un banc, sous la lumière du vieux et romantique lampadaire à grosses boules et n'y rêvât de Delacroix dont l'atelier s'ouvrait sur cette place. Une rêverie où il serait Sardanapale à qui des esclaves noirs aux muscles huileux amèneraient de jeunes captifs dont ils tordraient les reins et les nuques sur ordre du maître languissant. Je risque un œil. Le vieil écrivain a traversé la place sans y faire étape. Rue Jacob. Le petit jardin étique, à gauche, et la rue de l'Echaudé. Il est là. Il traverse la rue de Seine. Il prend la rue Jacques-Callot. Où va-t-il ? Diable, c'est qu'il s'aventure hors des eaux territoriales de Saint-Germain-des-Prés. Quel poisson espère-t-il pêcher rue Jacques-Callot ? A pareille heure,

tous les bancs d'éphèbes nagent dans un cercle
dont le rayon mesure une centaine de mètres et
dont le *Flore* est le centre. Le vieil écrivain
aurait-il un flair de requin — qu'une tache de
sang suffit à alerter à des distances de plusieurs kilomètres ? Ho, ho, il ne ralentit pas
l'allure et semble filer comme si l'appelait en
un endroit précis un cri ou une odeur ! Il
tourne à droite, rue Mazarine. Là-bas, sur le
trottoir, un vomissement de néon. Suis-je
bête ! C'est l'*Alcazar !* Il se dirigeait à grands
coups de nageoires vers le cabaret *Alcazar*
où s'exhibent des travestis aux cils interminables et aux bouches immenses éclairées de
dents de neige. Vomissement de néon, d'odeurs,
de chaleur. Le vieil écrivain se baigne dans cette
haleine et ce flot dégorgé mais n'ose entrer. Il
va et vient. Il hésite. Il se cramponne à je ne
sais quel mât pour n'être pas aspiré par le
mouvement de siphon qui l'engloutirait déli-
cieusement à l'intérieur du cabaret. Les vagues
déferlent et l'inondent. Il renverse la tête, il
ouvre la bouche. Il est solitaire et heureux.
En ce même endroit, en Mai 68, il a aperçu
un jeune Noir aux yeux fous et qui, pavé à la
main, injuriait la ligne roide des CRS qui bar-
raient la rue. Comme il était beau, dans sa
fureur ! Qu'elle était belle cette jeunesse qui
battait de son flot les sombres falaises poli-

cières et refluait, bondissante comme un troupeau de faunes, dès que ces falaises, comme la forêt de *Macbeth*, se mettaient en marche. Nuits inoubliables. Bousculades qui le faisaient défaillir de bonheur. Tous ces jeunes corps, tous ces bras, ces torses, ces yeux, ces lèvres, ces cris qui le brassaient en tourbillon. Toute cette pâte levée et fraîche en laquelle il plongeait à pleins regards. Mais ce regret de n'avoir plus vingt ans et de n'être point leur Rimbaud ! C'est vrai qu'il avait eu d'autres jeunesses et d'autres frondes. Et après ? Est-ce là une consolation ? Il rage. Oui, j'ai été jeune mais je ne le suis plus. Je suis jaloux. Lui dont proses et poèmes claironnaient des avenirs où des millions de jeunes crêtaient leurs vagues pour déferler sur « le vieux monde » et l'anéantir, il a été jaloux, en cet instant de mai, et a souhaité la fin du monde. Une Apocalypse où tout aurait été anéanti, les nostalgies d'hier et les merveilles d'aujourd'hui. Dans la grotte de soies et de fourrures, Clara, enroulée sur ses anneaux mais tête dardée, attendait ses retours. Il entrait, excité et vaticinant. Oubliée, crise de jalousie ! Il prophétisait des avenirs dont ses vingt-cinq ans, prétendait-il, avaient été les annonciateurs et décrétait que cette révolution était sur-politique comme avait été surréaliste le langage poétique. Hourrah !

Cette révolution, Clara ne l'aimait pas car elle dérangeait un ordre et un monde dans lequel elle et Montcel s'étaient installés ; elle craignait que leur légende pétrifiée ne fût brisée par ces jeunes iconoclastes. En outre, Montcel profitait de l'occasion pour se livrer à des escapades, prétextant qu'il se devait d'être le témoin exposé de l'Histoire et du Poème. Il essaya d'une tentative et dit à Clara que de jeunes étudiants, à n'en point douter, seraient heureux de se réunir dans l'appartement et d'y discuter fraternellement avec elle et avec lui. Elle refusa net.

Un soir, place de la Sorbonne, de jeunes anarchistes l'injurièrent : « Montcel, t'as rien à foutre ici ! T'es dépassé ! Tu crois nous récupérer, vieux flic ? » Le vieil écrivain leur proposa un « dialogue ». Ils lui firent le bras de fer et le prièrent de « se tirer » et d'aller rejoindre les flics. L'un des gosses récita d'une voix de fausset la première strophe d'un poème à la gloire de Clara.

— Vous connaissez au moins mes poèmes ! cria Montcel.

— Oui, pour m'en torcher ! répondit l'insolent.

Au dîner, près de Clara, il fut sombre. Une fois de plus, sa jeunesse était assassinée et portée en terre. Une fois de plus, Clara — en train de sucer des asperges — triomphait et rivait plus solidement encore la chaîne. Oui, un désastre, sa vie. Cette vie — unique — aplatie devant cette femme et incarcérée derrière les barreaux d'un parti politique à travers lesquels il avait rugi et vocalisé. Mai 68, donc, n'était pas son aurore mais son crépuscule ? De toutes ses forces, il se mit à haïr Clara, le Parti et le monde. Muet, il repoussa l'assiette, se leva, prétexta une migraine et s'enferma dans sa chambre. Clara, à gestes précieux, continua de sucer ses asperges. Elle n'avait jamais douté que Mai 68 fût autre chose qu'un enfantillage. Pauvre Montcel !

Qui rêve, les yeux ouverts, allongé comme un gisant, mains croisées sur la poitrine.

Qui évoque sa jeunesse. Que vaut une Révolution si elle n'est pas une fête ? J'ai été révolutionnaire parce que j'ai confondu ce qui doit l'être sous peine de prose et de police : la Révolution et la fête ; l'Histoire et le canular ; la provocation et la jeunesse. C'est toujours une sottise, mais j'ai voulu la commettre. J'aurais pu faire un autre choix : l'ordre et la cérémonie ; l'Histoire et la guerre ; l'héroïsme et la malédiction. C'était possible car enfin mon talent était capable de tout. Reste qu'au bout du compte j'ai raté ma vie car j'ai eu peur de ne pouvoir maintenir la trajectoire de mes premiers élans. Ma vanité m'a perdu et j'ai baptisé oasis le désert où j'ai vécu quarante années parce que j'y étais le premier. J'ai écrit, j'ai pensé, j'ai vécu contre moi. Je n'avais pas le génie de Picasso dont l'œuvre bouscule la morale. J'ai accepté d'être épousé par Clara et de me livrer pieds et poings liés à *cette politique* parce que j'ai eu peur de n'avoir pas le génie de mes folies mais simplement la virtuosité de mes mensonges. Aujourd'hui, tout m'abandonne. Les jeunes me traitent de flic. Clara, mon bourreau, béatement enrubannée de milliers de vers, se demande si j'aurai le courage d'un reniement et parie sur ma lâcheté. Les objets mêmes me fuient. Hier, j'ai perdu mon portefeuille ; avant-hier mes clefs. Les rats quittent le navire. Je n'ai pas osé, toujours comme Picasso, être une prostituée de génie et c'est mon œuvre qui a fait, pendant quarante ans, le trottoir à ma place. Le plus amer, c'est qu'il me serait possible de dire sans avouer, de nostalgifier sans prononcer le nom de ma nostalgie. J'ai ce talent au plus haut degré. Que restera-t-il de moi ? Quelques fusées de jeunesse déjà cataloguées par les manuels de littérature mais il n'est pas de grande œuvre si celle-ci n'est pas un aveu et je n'aurai rien avoué. Evidemment, si Clara mourait avant moi, je pourrais écrire *le livre,* mais je ne le ferai pas. Je suis trop cassé, trop vidé et trop habitué à mon personnage. Si j'ôtais mon masque, je m'arracherais la peau. Qui suis-je ? Un traître. Le pire de tous : à moi-même. En ce moment, je repose dans un lit immense et dans une chambre somptueuse. Dans la salle à manger, la vieille saupoudre des fraises de sucre. Elle — oui — elle a réussi sa vie. C'est moi qu'elle dévore, en ce moment. Je suis ces fraises que broie son râtelier. Or, j'ai chanté ça : ce corps haï, ces yeux de verre, ce front d'acier pâle, cette voix sèche. Au fil des jours, je me suis déformé dans ce miroir, je me suis mis à lui ressembler et j'ai sauté dans tous les cerceaux qu'elle me tendait. J'ai été ce chien enjuponné qui fait le beau. J'ai été cette otarie qui rattrapait sur son nez tous les ballons qu'elle me lançait. Ballon-Staline ? Hop ! Ballon-prolétaires ? Hop ! Ballon-Jdanov ? Hop ! Ballon-crimes ? Hop! Ballon-amour ? Hop ! Les dompteurs pouvaient compter sur moi, j'avais une souplesse de reins et de col et un tel coup d'œil que n'importe quel ballon, me fût-il expédié sous un angle impossible, venait toujours atterrir sur mon nez.

Ainsi rêvait Montcel, en Mai 68. A moins que je ne sois trop bon avec lui (c'est certain) et que mon rêve de lui n'invente ces aveux.

Il a remonté la rue Mazarine. Je le croyais épuisé mais voici qu'il redresse la taille, cesse de boiter et marche d'un pas plus ferme. Carrefour de l'Odéon, il balance puis, de nouveau, se dirige vers Saint-Germain-des-Prés. Vers cette chaleur de poussière et de bruits. A trois cents mètres, là est le centre du monde, le cœur moite de cette étoile de mer posée sur la vase de Paris. Bientôt, la *Rhumerie martiniquaise*, comme un octroi, signale la bonne frontière. Un groupe de jeunes banlieusards fait gronder des motos devant la terrasse et le vieil écrivain respire goulûment l'air empuanti de fumée bleue. C'est l'odeur moderne de ces centaures. Il passe, tête raide, mais l'œil coulisse dans l'orbite et attrape des faces casquées, des dos de cuir luisant, des fesses moulées, des bottes brutales. L'oreille entend des rires et de joyeuses obscénités. Il longe les grilles du square qui flanque l'église. Un ivrogne lui tend une casquette. Il passe. Son pas est décidé. Il court. Il vole. Il plane au-dessus du quartier. A mon tour, j'ai pris mon envol. Je monte au ciel, je pique, tourbillonne, glisse sur l'aile et le suis. Poursuite ou combat aérien que nul pilote de chasse n'a vécu. Les têtes des passants se lèvent pour admirer nos acrobaties. Les uns applaudissent ; d'autres parient que je vais réussir à foncer sur l'ennemi et à me relever après lui avoir craché ma mitraille dans le ventre. Ou bien ils sont fous ; ou bien ce sont des as. Quoi qu'il en soit, on n'avait jamais vu ça, dans le ciel de Saint-Germain-des-Prés. Quel spectacle ! Enfin, nous sautons en parachute et nous atterrissons, corolles mourantes, au milieu des jeunes gens. Comme ils sont bêtes, mon Dieu, et comme ils sont beaux. Explique-moi, Suprême Intelligence, pourquoi si souvent la beauté vivante est si bête dès qu'elle ouvre la bouche pour autre chose qu'un baiser ? Nouvel envol. Il bat des ailes contre les vitres du *Flore*. Il se pose. Il décide d'entrer dans le saint des saints où grouillent et mijotent deux cents folles, pédés, tordus, michetons, metteurs en l'air, petites brutes, fleurs efflanquées, Noirs indolents, voyous musclés, Américains aux cheveux rouges, mannequins mâles, Suédois drogués, Anglais fous, Suisses alanguis, Italiens volubiles, Argentins gnangnans et, toujours, deux ou trois légionnaires aux fesses dures et prêts à percer des murs à coups de reins. Le paradis ! La forêt non pas obscure, dont parle Dante, mais éclaboussée de lumières blanches. Bruits. Rires. Cris. Ça roucoule, ça glousse et pouffe. C'est le vase de miel où la mouche Montcel aimerait s'enliser comme en un sable mouvant. C'est la souche feuillue et alourdie de grappes mûres où la grive s'affole et s'enivre. C'est la cage frémissante d'oiseaux où s'introduit le chat. C'est l'Afrique, l'Asie, l'Ancien et le Nouveau Monde. C'est la fusée bourrée de deux cents cosmonautes folles qui file vers le ciel et la Lune. C'est la prison aux murs tendus à craquer à force de dévorer de jeunes prisonniers. Le paradis ! Cube de pierre et de verre, aquarium dont Montcel a léché tant et tant de fois les vitres à larges lampées de regard. Des trompettes éclatent dans le ciel de Saint-Germain-des-Prés. Alors le vieil écrivain bombe le torse, pointe le menton, redresse ses vertèbres craquantes, creuse le ventre, secoue la neige de sa chevelure et entre à l'intérieur du *Flore*. Il y a un moment de stupeur. Montcel dans la fosse, la cage, la volière, la prison, l'aquarium ! Montcel parmi nous ! Lui ! Lui ! César mêlé au peuple des légions ! Le Christ au milieu des mendiants comme dans l'illustre gravure de Rembrandt ! Soudain, le silence se déchire et on acclame le vieil écrivain, on l'embrasse, on le caresse et le cajole, on l'entoure et on le presse, on le porte en triomphe, on l'aime et on l'adore.

Vive la Montcel ! Vive notre roi ! Vive notre reine ! On l'installe sur un trône et on s'agenouille à ses pieds. Il bénit l'assistance d'un doigt pastoral. Il se lève et marche sur les corps étendus ; il se roule sur ce tapis ; il s'y vautre et s'y engloutit. Il pleure de joie, s'étouffe, crache des caillots de bonheur. Je chante à pleine gorge en balançant devant lui mon encensoir qui fume. Je crie : « Alléluia ! »

Hélas, ce n'est qu'un rêve et le vieil écrivain, une fois de plus, s'est contenté de frôler la barrière électrique du jardin d'Eden et de se rêver roi de ce Royaume. Il crochète, traverse, revient sur ses pas et s'enfonce dans la rue Gozlin sans prêter attention à Diderot statufié et qui semble, sur son fauteuil, soulever une fesse pour lâcher un vent de pierre. Ma stupeur continue n'a d'égale que ma fatigue. Cet homme aura ma peau. J'ai aussi un autre sujet d'étonnement. En effet, sous les pas du vieillard, les éphèbes semblent maintenant naître du pavé et surgir des murs. Dirait-on pas qu'à sa seule approche se lève leur moisson ? Certainement, Montcel est un faiseur de miracles et a pouvoir d'enchanter les rues de ses désirs.

Mais le ciel se renversa et Saint-Germain-des-Prés — ce fut encore un prodigieux miracle — vint inscrire ses constellations, là-haut, dans la voûte qui s'était vidée de ses vieilles étoiles.

« Flore », tu es la Polaire. Grande Ourse — rue de Rennes. Boulevard Saint-Germain flamboyant en chevelure de Bérénice. Et nous voyageons vers le Lion, l'Hydre et le Cancer lorsque surgit, sur notre droite, le crépitement des Gémeaux qui met en fuite la Licorne dont les sabots soulèvent une poussière d'étoiles. Et, moi, je suis le chasseur Orion, tueur d'Aldébaran et de Bételgeuse, lancé sur les pistes du ciel. J'ai usé les semelles de mes bottes ; je marche sur les pieds ; je saigne. Je suis le chasseur sacré et j'ai été abattu, sur terre, par celle qui m'aimait et qu'abusa le frère jaloux et incestueux. A mon tour, Apollon, de bondir à ta poursuite.

— Tu as défié la déesse ta sœur, Artémis qui m'aimait — parce que je commettais sans cesse, à tes yeux, le crime d'être jeune, te souviens-tu ? — d'atteindre là-bas une cible...

— C'était toi ?

— Et la flèche m'a frappé en pleine tête. Tu as voulu m'assassiner mais ta sœur m'a inscrit dans ce ciel où je te chasse.

— La Poésie est-elle si féroce, mon fou ? N'oublie pas qu'elle te prête son arc mais que j'en suis le dieu. Allons, à genoux !

J'ai obéi et, si vous avez levé les yeux, cette nuit-là, vous aurez admiré ce spectacle inouï d'un chasseur qui, tel un adorant sur le sentier du calvaire, poursuivait sa proie en se traînant sur les genoux. Spectacle plus singulier encore : la bête, qui aurait pu s'enfuir, mesurait son allure à celle du chasseur et paraissait n'avoir nul désir de l'abandonner dans quelque ténèbre du ciel renversé.

— Je comprends pas les flics, biquet. Toujours à nous poursuivre, à nous faire des misères. Et grossiers avec ça. Ignobles. Si j'étais toi j'écrirais un livre pour expliquer ces choses. Moi, par exemple, je suis comme je suis. Qu'est-ce que ça peut leur faire ? Quand j'étais petite, j'ai toujours joué avec les filles, toujours. Un médecin m'a dit un jour : « Ce n'est pas de votre faute. La nature s'est trompée de corps. » Mais pourquoi je dirais « amen » à la nature ? Si j'ai un esprit de femme, je suis une femme. Je te jure : à deux ans, ma mère m'a dit que je ne riais qu'en voyant des poupées. Et toi, tu te souviens, biquet ?

Il se souvient du jour où il a arraché des mains de Clara des photos que celle-ci regardait. On y voyait un enfant aux longues boucles et aux tendres joues. La tête posée au centre des pétales blancs d'un col empesé. Des bottines lacées et noires montant haut. Des pantalons larges et flottants descendant au-dessous du genou. Une blouse de dentelle serrée à la taille par une cordelière et deux pompons échappés du nœud. Clara s'était écriée : « C'est toi ? Non ? Ce n'est pas possible ! Mais tu as l'air... » Il s'est emparé des photos et les a déchirées. Clara s'est étonnée. « Pourquoi veux-tu que les poètes ressemblent à de futurs champions de catch ? Tu es un poète, après tout ! »

Les murs des maisons de Saint-Germain-des-Prés sont de chair, l'asphalte est un ventre dur, les vitrines et les lampadaires sont des yeux, les portes des bars ou des cafés sont des bouches. Le quartier est un corps brûlant et allégorique. Au fait, quel âge a-t-il, le vieil écrivain ? Dans les soixante-seize ans, je crois. Je m'interroge et, certes, si je n'ignore pas que les vieillards (comme les troncs de certains arbres morts ont des rejets et des surgeons qui jaillislisent de leur base) sont agités de verdeurs étranges, je me demande tout de même où gîte le désir. Dans quelle terre sèche et dure va-t-il prendre sa source ? J'ai d'ailleurs observé que les homosexuels ne « décrochent » jamais et suis persuadé que, damnés, ils filent un coup d'œil assassin à Lucifer — le plus beau des anges ! — et se déhanchent mignardement en passant devant lui pour franchir les portes de l'enfer. Montcel, lui, ne se déhanche pas car sa colonne vertébrale n'est pas assez souple et une légère arthrose visite parfois ses hanches. A vingt-cinq ans, il possédait toutes les souplesses. Il le prouva en se trémoussant sur le tombeau d'Anatole France pendant que ses amis l'encourageaient en chantant : « Trabadja la moukère ! » Ce jour-là, il s'était agi de réaliser une expédition punitive sur les tombes de quelques grands hommes.

— Et toi, on t'habillait aussi en fille, biquet? Il a jeté les photos déchirées dans le vide-ordures. Clara riait. Oh ! Ce terrible rire sans joie et qui glace comme le rire en crécelle de la hyène. Il bout de haine contre ce rire. Il entre dans son bureau, claque la porte, tourne le clef et s'assied à la table. Que va-t-il faire pour se venger ? Je le donne en mille aux biographes les plus finauds. Ce jour-là, Montcel, les mains agitées par un tremblement de rage, écrivit un poème en quatorze strophes, où il célébrait sur le mode élégiaque le rire de Clara. Incroyable mais vrai, biographes !

Ton rire de colombe où mon cœur te devine
Derrière la cloison égrène ses grelots...

Disons que cet homme avait le masochisme lyrique. Je remarquai pourtant que lorsqu'il s'arrêtait d'écrire il levait une tête ivre, passait deux doigts sur son front et frottait, ce qui, selon Dostoïevski, est un signe grâce auquel on reconnaît les fous. Assez bavardé. Où est ma baleine blanche ? Elle est entrée — elle a osé ! — dans le café qui est situé à l'angle des rues Gozlin et du Four et boit un chocolat. Un minet s'avance vers le comptoir et demande de la monnaie pour l'appareil à sous. Il porte cheveux longs et une médaille autour du cou. Que n'ai-je mes vingt ans ! Je me ferais lever par la baleine et, arrivé dans sa chambre, j'ouvrirais ma braguette et en extrairais des poèmes à la gloire de Staline et de Clara. « Et maintenant, la folle, apprends que tu t'es trompée d'adresse et que tu vas me lire ça si tu ne veux pas recevoir une tournée ! » Je m'installerais dans un fauteuil (après avoir soigneusement refermé ma braguette), j'allumerais un cigare, je me ferais verser un bon petit alcool et j'écouterais Montcel, debout, me lire ses vers. « Plus fort ! Mets-y le ton ! Continue ! » Pendant des heures. Il n'est pas exclu que je paie un voyou à qui je ferai la leçon et qui se comportera ainsi. De temps en temps, je lui demanderai de cracher sur le tapis et, évidemment, d'écraser son cigare sur une toile de Matisse. Contre trois cents francs, n'importe quelle frappe me rendra ce gentil service. Il ira même jusqu'à exiger que Montcel lui raconte, avec des détails, ses trois entrevues avec Staline et son dîner avec Mikoyan et Béria. Il hurlera. Et Montcel devra, à quatre pattes, lécher de vieilles photos de Thorez que j'aurai confiées à l'excellent jeune homme.

— T'es vachement célèbre, toi ! Dis donc, une vraie vedette. C'est vrai que t'as écrit tout ça ?
— Oui.
— Je pourrais pas écrire, moi. Je pourrais pas rester assise des heures sur une chaise. C'est drôle, hein, mais il faut que je marche.

Tourne, Saint-Germain-des-Prés, tourne au cœur de Paris endormi, tourne, tourne... Lampions. Musiques. Barbe à papa. Flonflons. Néons. Masques. Lèvres trop rouges. Yeux trop cernés. Deux animaux de bois colorié montent et descendent le long d'une tige d'acier blanc, au rythme de *Bier Barril Polka.* C'est Montcel. C'est moi. Nous sommes ces deux animaux. Nous allons tourner jusqu'à la fin des temps et nous ne nous rattraperons jamais. Suis-je assez sot ! Ce diable — en papier souillé d'encre — m'a entraîné dans ce bois et m'y a perdu.

— Je mourrai avant toi, encore assez jeune après tout, mais si tu me survis de longues années...

— Je t'en prie, Clara, pourquoi cette cruauté ?

— ...je ne serais pas étonnée que tu assistes, de ton vivant, à un autre enterrement. Lequel ? Devine.

— Non.

— A celui de ta gloire. Tes livres ne resteront pas, Pierre Montcel. Trop de vers dans le bois de tes romans. Trop de roman dans tes poèmes. Trop de trucs dans ton théâtre. Pauvre Pierre !

Il répète en écho :

— Pauvre Pierre !

Puis, soudain, une colère tout à fait imprévue, le redresse et le cabre. Elle dit en poussant un soupir :

— Trop de vers et donc beaucoup de sciure, Montcel.

Il s'approche d'elle, les yeux fous, se penche en avant, pose les deux mains sur les bras du fauteuil sur lequel elle est assise et lui hurle au visage :

— IMMORTEL !

Il reste là, haletant.

— Tu as une haleine de vieillard. Recule !

Il obéit et se redresse. Il y a des larmes dans ses yeux.

— Je vais me suicider, Clara.

— Ne te gêne pas, Pierre.

Me permettez-vous, Clara, de me mêler à cette conversation ? Merci. Je dirai, moi, usant d'une autre image, que Montcel avait bâti votre monument et votre statue en calcaire. Gel, pluies, orages d'avenir et cette pierre tendre et

poreuse s'effrite. Elle s'écaille et se délite. Votre
nez est rougi, votre front piqué d'alvéoles ;
votre bouche s'efface. Dans le jardin public, les
pigeons eux-mêmes hésitent à se poser sur votre
tête dévorée. Il n'y aura pas de remède contre
cette lèpre.

Ensuite, le voyou que j'aurai payé priera
poliment Montcel de se relever et de s'asseoir
sur un tabouret. Lui, il bondira, d'un saut léger,
sur le piano et, là, bombant le torse comme un
orateur de la III° République, il lira un discours
que j'aurais pris soin de rédiger et de lui
confier : « Dis-moi, Montcel, as-tu pensé une
seule fois, une seule minute, à ceux qui t'écou-
tèrent et te suivirent ? Te souvient-il de cette
haquenée d'admirateurs et de disciples qui
allaient ton pas — derrière toi qui bombais le
torse et maîtrisais alors le roulis de tes hanches, sur des chemins où négligemment tu
semais tes romans, tes pièces, tes articles et tes
poèmes ? Où sont-ils, ces garçons qui compo-
saient votre cour, à Clara et à toi, et qui n'ont
pas aujourd'hui ton talent pour soupirer et ton
goût retrouvé pour de charmants Ganymèdes

de salon ? Tu t'en es tiré, toi, mais eux ? Au moins, vieille peau cuite et recuite par les rictus et les sourires, vieux cuir usé par les tapes et les flatteries, au moins aurais-tu pu te suicider — pour de bon — au lieu d'emballer des travestis ou de pérorer sur la couleur de ton dernier smoking. Les disciples désespérés et abandonnés aux ornières auraient dit : « Il s'est tué. C'est bien. Dans le plateau il y avait sa logorrhée pernicieuse mais, dans l'autre, il a jeté sa mort. Paix à ses os ! » et les ombres de Drieu et de Montherlant — et, venues du fond plus lointain des champs Elysées, celles de Jacques Rigaud et de Maïakovski — t'auraient honoré d'un salut. Hélas, Montcel, tu n'as pas osé percer l'outre et, demain, aux Enfers, même les morts se détourneront sur ton passage. Seule, Clara fondra sur toi, viendra te demander les derniers comptes et votre scène de ménage recommencera jusqu'à la fin des temps. » Le voyou froissera le papier, le jettera aux pieds du vieil écrivain, se tournera vers des marionnettes faisant office de jurés et dira d'une voix calme : « Messieurs, cet homme est coupable de détournement de mineurs, de dissimulation de sexe, d'attaques à visage, prose et poésie masqués, de vols exécutés au détriment d'honnêtes citoyens — MM. Ronsard, Hugo, Musset, Béranger, Péguy, Déroulède,

Rimbaud, Verlaine, Apollinaire, Breton, Claudel et tant d'autres — que vous avez vus défiler à la barre. Messieurs, je demande pour lui votre pitié et vos applaudissements. »

Mais quel est cet homme qui, au fond de la salle, se lève en gesticulant et s'avance vers les juges ? Qui est ce fou dont on ne sait s'il titube d'ivresse ou de fatigue et pourquoi me ressemble-t-il ? Il porte des bas roses, ses pieds sont chaussés d'escarpins, un étrange boléro tissé de fils d'or et constellé de strass pend en lambeaux sur ses épaules... Mais, ma parole ! c'est un toréro-comique égaré dans ce tribunal qu'il prend pour une *plaza* découpée en ombre et lumière. Il s'étale, se relève et rote. Il est complètement saoul. Il hoquette.

— Messieurs... Heu... cher public et chère présidence, ce toro est à moi.

— Ho ! fait la foule.

— Je l'aime et sa dépouille a droit à un tour de *plaza*. (Il hurle.) Debout ! Chapeaux bas ! Sortez les mouchoirs et qu'un vol de colombes neige sur les gradins ! Jetez vos œillets et vos roses sur le cadavre qui trace sur le sable un sillage d'excréments, de poussière et de sang ! Debout, les nains ! Et saluez !

Il replie sa *muleta* qu'il brasse contre sa poitrine et dont il mord l'un des plis entre les dents. Le fauve, croix plantée dans le garrot, marche à petits pas écrasés vers les barrières. Le matador, car tel est son nom qui veut dire « tueur » — l'accompagne en silence et murmure en son cœur : « Ay, toro, ay torito, caete ! Caete, toro ! » (Allons, toro, allons mon petit toro, tombe ! Tombe, toro !) Il ajoute même qu'il piquera un baiser au bout de ses doigts et le déposera, comme une fleur, sur le front du monstre.

L'animal s'appuie aux barrières. Demain, lorsque l'aube me dénoncera, je retrouverai une tache contre un mur de la rue des Canettes. Un flot d'encre et de sang noir gargouille dans sa poitrine et des spasmes creusent ses flancs mais il retient ce flot et mourra bouche fermée. Comme je ne t'ai pas aimé, ô Minotaure, mais, en ce moment où tu vacilles avant de plier les genoux et de te coucher sur le sable, comme je t'aime ! J'espère seulement que, déjà, la mort bourdonne dans tes oreilles et que tu n'entends pas ma folle déclaration. Surtout ne me regarde pas et vers moi ne tourne pas la tête, car je te jurerai le contraire et aurai la force d'assurer dans ma main le poignard horrible du coup de grâce.

Il a plié les pattes, comme pour une prière. Avait-t-on jamais admiré, dans une arène, ce que l'on y vit, cette nuit-là ? Un matador qui, du même mouvement, s'agenouilla et se coucha ensuite contre le flanc souillé du dieu qu'il venait de tuer. Et les muletiers, qui étaient myopes, fouettaient les rosses qui traînaient deux cadavres enlacés sur le sable.

Chaque nuit, lorsqu'il rentre épuisé de ses chasses, Montcel appuie sur le bouton de la minuterie, pousse la lourde porte cochère de bois. Son pas sonne, avec des hésitations, sur le pavé de la cour. Il ouvre la porte de l'ascenseur de bois et une ampoule s'allume et la cage emporte vers les étages ce pauvre singe à cheveux blancs dont un petit miroir aux bords biseautés accuse la grimace épuisée par les déceptions de la nuit. Pourquoi rentrer ? Pourquoi abandonner la chasse à tel moment et non pas à tel autre ? Il ne sait pas. C'est son corps qui craque et rampe vers la bauge. Elles sont affreuses ces nuits où il rentre bredouille et erre dans l'appartement pendant de longues minutes avant de se glisser dans son lit. Grâce au diable, Clara n'est plus là, tapie derrière une lampe, dans une semi-pénombre qui accuse les traits taillés de son visage. Il erre dans l'appartement, jette un coup d'œil derrière les fauteuils

et les divans, sous les tables et les lits — afin
de vérifier si par hasard la vieille, ressuscitée,
ne se cacherait pas dans l'antre. Elle est morte,
grâce au diable. Il est libre et très las mais
d'une fatigue qui, chaque soir, ne sait si elle est
de bonheur ou de honte. Le 14 avril dernier, il
s'est affalé dans un fauteuil et son regard
volait et vacillait, comme un oiseau à l'aile
blessée, dans le salon, puis s'est enfin posé
sur Clara aux aguets dans son cadre d'argent.
Il s'est levé en s'appuyant lourdement sur les
accoudoirs du fauteuil. Il est allé chercher le
cadre qu'il a pris entre pouce et index, des deux
mains, et l'a posé sur la table basse en face du
fauteuil où il s'est rassis. Alors, là, à voix basse,
il s'est mis à injurier la Morte. « C'est moi, c'est
moi, ma petite Clara, ma très chère. Je te hais,
tu sais, et j'ai l'intention d'accrocher ton portrait dans les chiottes. Je te hais... » Il a vomi
ses injures, pendant une heure, et a décidé que
Clara passerait la fin de la nuit dans le réfri-
gérateur. Il y a enfermé cadre et photo. Tito
ronronnait et suivait la scène d'un long regard
mauve.

Quelle heure est-il ? Baleine blanche et capitaine Achab bondissent de vague en vague.
J'ai harponné le monstre qui se débat. A portée
de ma main, une hache : je trancherai la corde
s'il voulait m'entraîner à l'abîme ; s'il plongeait
sous les flots — sous terre — pour y mourir.
Stop ! Coup de frein. Il repart. Il ouvre la
gueule et avale comme plancton des dizaines,
des centaines, des milliers de jeunes gens qui
dansent, crient et rient dans l'immense ventre
où naguère n'était dressé que le trône de Clara,
majestueuse comme une dogaresse, à Venise,
lorsque muse et poète y vécurent un « voyage
de noces » fameux. A Londres, Rome, Nuremberg, Prague, Sienne, Florence et à Séville,
barrio de Santa Cruz, je t'ai suivi, Montcel,
perdu et retrouvé. A Venise, il avait repéré, au
café *Quadri*, un garçon roux à la tête sculptée
qui voguait entre les tables avec une assurance
de pilote entre les récifs. Léon-Paul Fargue fré-
quentait le café situé au coin de la rue Bonaparte et de la place Saint-Germain-des-Prés.
Voici la dalle où Frédéric Barberousse s'est

agenouillé aux pieds du pape Alexandre III et
le garçon roux ressemblait au saint Georges
joufflu qui, lance en avant, fonce sur le dragon
(ce gros lézard) de Carpaccio, à San-Giorgio
degli Schiavoni. Les autres garçons arboraient
des nœuds papillon noirs ; le sien était blanc.
« Tu penses à Frédéric Barberousse ? » Non,
il se demandait si le garçon avait voulu signaler
au peuple immense de ses collègues de la terre
qu'il appartenait à une autre race. L'orchestre
jouait : « Je t'ai rencontré, simplement / Et tu
n'as rien fait pour chercher à me plaire... » Le
garçon roux se figeait, tel un guerrier appuyé
sur une lance invisible, les reins cambrés sous
la veste blanche et, dans le dos, il y avait la
fossette de deux boutons dorés. Montcel admi-
rait, les yeux mi-clos. Clara s'ennuyait et comp-
tait les fenêtres de l'étage supérieur des Vieilles-
Procuraties. Elle s'y reprit à trois fois. Il y en
avait trente-cinq. Le garçon roux renversa la
gorge comme le Baptiste de Bellini, à l'église
San-Zanipolo. Cou puissant. Enorme pomme
d'Adam, grosse comme un sexe qui tend le
pantalon étroit. Montcel retenait son souffle et
offrait son visage au soleil. Cinquante ans
après, à Paris, le *Flore* a maintenant éteint ses
lumières et nous étions soudain à Venise, Montcel et moi, pour essayer d'y retrouver, lui, le
fantôme d'un garçon roux et, moi, quelque bu-

centaure en partance vers un horizon de ma vie où rougeoient, déjà, les lueurs roses d'un crépuscule. C'est Montcel ? Serais-je halluciné ? Il s'est arrêté devant la vitrine de *Camaccio* où il a feint d'admirer les camées de Naples. Il est passé sous le portique. Il a pris la Salizada San-Moisè. Est entré sous le Sotoportego Foscara. Est revenu sur ses pas. Deux chats miaulaient d'amour, rue Saint-Benoît. Devant la porte du *Fiacre*, deux jeunes folles échangeaient des adresses. Il a traversé le petit pont sous lequel dormait un troupeau de gondoles. Je l'ai rattrapé calle della Ostregha mais déjà il passait un autre pont. Campo Santa Maria Zobenigo. Il longe le mur de Santa Maria del Giglio. Il monte les quinze marches du Ponte Duodo. Clara est morte. Elle est à Paris. Rue de Tournon, chez *Flinker*, exposition Klee. Campiello della Feltrina, dans la vitrine de l'antiquaire *Patitucci* brille un magnifique plat du XVe siècle où Adam et Eve, face à face, ont un doux ventre bombé qu'ils poussent l'un vers l'autre. En chasse ! Ne faiblissons pas ! Quelle nuit ! Par la calle Zaguri, nous avons atteint le campo San-Maurizio où habita Manzoni et où une anglaise diaphane vend des poupées et de grandes roses de soie couleur gris perle. Clara est morte. Venise est morte. Montcel halète, campo San-Stefano où Niccolo Tommaseo, statufié, bras croisés, nous attend comme un père en colère. Il fuit. A droite toute. Qui poursuit-il ? Le garçon roux est mort et son nœud papillon flotte depuis un demi-siècle sur les canaux. Nous empruntons un dédale pour assassins et voici la Fenice où l'on jouait *I Puritani* de Vincenzo Bellini. Nouvel élan et, dans la Frezzeria, il s'est appuyé à la vitrine du fleuriste *Colleoni*. Il n'en pouvait plus et mon cœur battait à se rompre. Allait-il entrer dans l'hôtel *Casanova* à l'enseigne blanche cerclée de rouge ? C'eût été d'une belle ironie ! De nouveau, ce fut l'espace de Saint-Marc, en repassant sous le portique. Il était 5 heures du matin, je crois. Je m'assis au pied du Campanile. Mon ami Montcel, d'un coup de talon, avait décollé de la place et était allé se jucher, là-haut, sur l'un des chevaux du quadrige. Je l'y laissai qui hurlait un poème en l'honneur du garçon roux, du Baptiste et de Clara. Un taxi, devant la brasserie *Lipp*, embarquait trois grognards du *Flore* qui avaient décidé d'aller boire un dernier verre chez *Michou*, à Montmartre. A pas très lents, j'ai longé le quai, vers l'Arsenal, pour regagner mon hôtel. La voix de Montcel, hurlant ses poèmes, me poursuivait. Maintenant, ce dément comparait Clara à la jeune comtesse Guiccioli, âgée de seize ans, et qui fut aimée de lord Byron. « Moi aussi, je

suis boiteux ! C'est mon secret ! Je suis boiteux ! », criait le fou. Puis, hors de ses manches,
s'envolèrent des pigeons.

C'est là que s'infiltre en moi une indistincte
pitié pour Clara si je pense qu'elle fut, pendant
quarante ans, à elle seule, le bric-à-brac truqué
que le prestidigitateur dispose à gestes vifs sur
la table du music-hall. « Voici, mesdames et messieurs, un chapeau claque, une valise, un coffre,
une cage, une canne, un cylindre de métal...
tout cela est vide... Voyez, regardez vous-mêmes,
touchez... Merci ! Et maintenant, attention !... »
Par ici des colombes, des foulards multicolores,
des cigarettes allumées, des lapins blancs, des
rubans au kilomètre, des pluies de cartes à
jouer. Pauvre Clara ! Chaque soir en scène et
qui s'envole hors des chapeaux, se déroule en
serpentins, surgit, radieuse dans sa robe lamée,
du coffre vide que Montcel avait traversé de
part en part avec de longues épées. Quoi de
pis que d'être *l'objet* d'une adoration insin-
cère ? Pauvre Clara ! Mon ressassement emplit
votre tombe et je vous empêche de dormir ?
Je me répète ? Je tournoie ? Mais que faire

d'autre dans votre vaste tombeau où je marche de rue en rue ? Patience ! Le jour se lève !

— Je ne suis que ton garde-démons, Montcel.

(Parfois, elle l'appelait « Montcel » afin de lui signifier par là que « Pierre » avait été dévoré par la machine à produire des mots répondant au nom public de « Montcel »)

— Quels sont-ils ?

— Tu sais bien que je ne le dirai pas et que tu disparaîtrais en fumerolle si j'en formais les noms dans les rues. Moi aussi, d'ailleurs. Tu as bien arrangé ton coup. Tu auras été l'historien d'un grand amour qui n'a pas eu lieu, l'aède d'une épopée en trompe-l'œil, en... trompe-cœur. Comme mes bijoux, mes couronnes et mes ors auront brillé sous les lustres du bal de ce monde ! Mais, moi, je savais que c'était du strass, de la verroterie et du vil métal et, lorsque nous étions seuls, retour des fêtes, je jetais ces harnachements sur le tapis du salon, sur la table de la cuisine, n'importe où... Et nous nous regardions, atterrés par notre complicité qui, comme celle de criminels, tournait doucement en haine. Que n'avons-nous bâti un monument secret à celle-ci ! Cela serait resté de nous au lieu que le palais que tu m'as construit, au lieu que ce Parthénon de sel fondra demain comme neige d'avril sous le moindre souffle chaud des saisons qui suivront notre mort. Ecris notre haine de quarante ans et on dira que nous nous sommes aimés, peut-être.

— Oh là là, biquet, cette fois faut que je me tire, t'as vu l'heure qu'il est ? Et il faut que je me rase... et j'ai pas mon fond de teint... T'as pas du fond de teint, chéri ? Tu me fais un peu de café pour me réveiller. Très fort.

— Très fort.

— Noir.

— Noir.

— Ho, et ma perruque ! Regarde ma perruque !

— Ça s'arrangera. Tu es belle de toute façon.

— T'es bien logé, dis donc ! C'est un vrai hôtel particulier, hein ? C'est... de famille ?

— Oui.

— Ta maman ?

— Non, le père de ma femme.

— C'était un aristo ?

— Non.

— C'était quoi, alors ?

— C'était un très riche brasseur de Lorraine.

— Qu'est-ce que ça rapporte la bière ! J'ai eu un ami qui possédait trois brasseries, dans le Nord. Il était bourré de fric. C'était peut-être le père de ta femme.

Il rit.

— On ne sait jamais.

— Tu as été marié une seule fois ?

— Non, deux.

— Mais tu as des enfants ?

— Oui, un. Mais, chut ! C'est secret.

— Tu le jures ? Ça, tu vois, Biquet, ça me plaît, l'enfant secret. C'est mystérieux ! J'adore. « Le Prince dont la ville est un enfant... »

Montcel regarde le garçon avec dans l'œil une lueur surprise.

— Ce que tu viens de dire est très beau.

— C'est un titre de pièce.

— Non, le vrai titre est : « La Ville dont le prince est un enfant ». Mais je préfère le tien.

Le vieil écrivain surveille la bouilloire, sur le réchaud à gaz.

— Tu me fais le café à l'eau d'Evian, biquet, l'eau de Paris est calcaire.

— C'est entendu.

Il verse du lait dans une soucoupe qu'il offre à Tito.

— Oui, mon Tito, voici ton lait.

— Chante notre haine.

— Jamais.

— Je le sais. C'est trop tard. Bah ! Je n'aurai pas existé. J'aurai été... commode. En moi, tu t'es adoré et, Narcisse, tu as peint mon portrait sur le miroir. Mon Dieu, c'est terrifiant, lorsque j'y pense. Cette Clara divinisée, c'est toi et jamais, Montcel, jamais tu n'as aimé rien d'autre que toi-même. Tu t'es baptisé « Clara », c'est tout. Mon Dieu, ce fut une bien monstrueuse entreprise.

— Pourquoi ai-je fait cela ?

— Mais, mon chéri, parce que si tu avais osé vraiment aimer *l'autre,* ta terreur te disait qu'il n'aurait pas ressemblé à une femme.

Ce dialogue, entre Montcel et la Morte, n'a pas eu lieu de leur vivant. Le vieil écrivain le murmure en examinant les yeux clos du travesti qui dort dans le grand lit, bouche ouverte. Sur la table de nuit, il y a, posées, les herses des faux cils.

— Allez, à bientôt, mon biquet. Tu me téléphones ? Tu as été content de ta petite Sabine ? Tu me téléphones ?

— Oui, si tu ne m'appelles plus biquet.

— Tartamuchette, peut-être ? Muchette tout court ?

— Si tu veux.

— Biquet, tu trouvais pas ça mignon comme tout ?

— Non.

— Ah, je vois, y'a déjà quelqu'un qui t'a appelé biquet et ça te rappelle des choses. J'en étais sûre que tu étais un sentimental. (Il caresse la crinière blanche). Ça se voit. Tu es sentimental, distingué. Tu es beau, tu sais.

— Merci.

Il se tourne vers le cadre d'argent.

— Tu permets que je te dise que ta femme aussi était belle ? On dirait ta sœur. Ça te rend triste ce que je te dis ?

— Non... Pas du tout.

— Moi, je comprends pas... On dit : C'est incroyable que des types mariés aient des amis hommes. Moi, je comprends pas ceux qui disent ça. Comme si ça empêchait quelque chose, hein ? C'est pas du tout la même chose, après tout. Tu es de mon avis.

— Oui, tu as raison. Et maintenant, il est tard, il faut que tu t'en ailles.

Vacillant sur ses socques, le travesti domine d'une bonne tête le vieil écrivain qui tend vers lui un visage extasié de fatigue. Les yeux bleus sont ceux d'un aveugle. En bas, dans la cour, le concierge lave le pavé à grand jet et il faudra que Sabine affronte le regard de ce juge armé de la lance purificatrice.

— *Ciao...*

— Au revoir.

— *Ciao,* mon Tito.

Le chat ne répond pas. Le travesti meurt dans la cage d'escalier qui descend au Tartare.

Le vieil écrivain revient dans l'appartement, ferme et verrouille la porte. Il entre dans le salon-bibliothèque et appuie son dos au mur tapissé de rayons. En face, il y a un haut miroir qui lui renvoie son image. Alors, lentement, il incline la tête et écarte les bras en croix, le dos toujours collé aux rayons chargés de livres. Laissez-moi, je vous prie, le peindre dans cette pose et me figer ensuite en celle du donateur. Pourtant, vous ne me verrez jamais sur le tableau, car j'avais pris la précaution de m'agenouiller sous le bas du cadre.

Dans quelques minutes, l'aube va se lever et
le vieil écrivain continue son Odyssée. Sans
nul doute, il est comme ces animaux auxquels
on a tranché je ne sais quels nerfs et qui, dans
le terrier artificiel où des chercheurs glabres
les ont enfermés, zigzaguent en perte absolue
de direction. Ainsi, j'ai vu des rats dans des
labyrinthes. Blancs comme est blanc le vieil
écrivain. Notre pas est plus lent, nos semelles
plus lourdes. Les néons blêmissent et le lait des
lampadaires s'écoule plus pâle dans le bol de la
place de Furstenberg qui se remplit d'une
lumière encore timide mais victorieuse. Au
fond du bol, il s'est écroulé sur un banc et,
hagard de fatigue, je me suis assis sur l'autre
banc, en face. Nous nous regardons longtemps
et, enfin, il me sourit. A mon tour, je lui souris.
Nous restons là, longtemps, regards rivés. Autour de nous, soudain, tout a disparu et
s'étend un désert parsemé çà et là de carcasses
blanchies et de ruines antiques. Si nous ne
bougeons pas, nous serons à notre tour calci-
nés par le soleil qui se lève et bientôt nos
squelettes s'adresseront l'amical ricanement

d'éternité que seront devenus nos sourires. Tout sera mort. Tout est mort. L'Europe, Paris, Venise, Saint-Germain-des-Prés, notre jeunesse, Clara, Montcel, un siècle, un monde. Et, ma vaine colère, elle est morte aussi et glisse d'entre mes doigts décharnés. Il pousse un soupir. Enfin, il appuie ses mains sur ses genoux et se lève dans un craquement d'os. Je l'imite exactement. Il tourne à droite, rue de l'Abbaye, et titube vers la place Saint-Germain-des-Prés. Je vacille derrière lui. Mon intention, pour en finir, est de rassembler mes dernières forces, de m'approcher et de lui souffler à l'oreille : « C'est la fin, vieillard. » Et de passer mon chemin, sans le regarder. Il ne m'aura pas entendu venir et se demandera, en me regardant m'éloigner, s'il n'a pas rêvé, s'il n'a pas des hallucinations auditives et ne devient pas fou. Il y a pareille scène dans « Crime et châtiment » où un passant s'approche de Raskolnikof et lui murmure : « Assassin ! ». C'est une scène très belle et qui toujours m'a donné le frisson. Allons-y ! L'heure est assez blême pour que j'aie encore ce courage. Ensuite, j'irai au cimetière et raconterai cette longue nuit à une Morte.

ACHEVÉ D'IMPRIMER SUR LES
PRESSES DE L'IMPRIMERIE
HÉRISSEY A ÉVREUX
LE 28 FÉVRIER 1977
POUR JULLIARD
ÉDITEUR A PARIS

Dépôt légal : 1er trimestre 1977
No d'Édition : 4435 — No d'Impression : 19449